BESCHERELLE

L'ORTHOGRAPHE
POUR TOUS

L'orthographe d'usage

L'orthographe grammaticale

Vocabulaire

Tolérances orthographiques

Lexique

Hurtubise

Les Éditions Hurtubise bénéficient du soutien financier des institutions suivantes pour leurs activités d'édition :

– Gouvernement du Canada par l'entremise du Fonds du livre du Canada (FLC) ;
– Société de développement des entreprises culturelles du Québec (SODEC) ;
– Gouvernement du Québec par l'entremise du programme de crédit d'impôt pour l'édition de livres.

Conception graphique et réalisation de la couverture : Anne Tremblay [www.annetremblay.com]

ISBN 978-2-89647-588-9

Dépôt légal – 1er trimestre 2013
Bibliothèque et Archives nationales du Québec
Bibliothèque et Archives Canada

Diffusion-distribution au Canada
Distribution HMH
1815, av. De Lorimier
Montréal (Québec) H2K 3W6
Téléphone : 514 523-1523
Télécopieur : 514 523-9969
www.distributionhmh.com

Réimprimé en France en mars 2019
www.editionshurtubise.com

AVANT-PROPOS

Un *Bescherelle* pour maîtriser l'orthographe

La nouvelle édition du *Bescherelle Orthographe* s'est donné pour mission de répondre en termes simples à toutes les difficultés orthographiques que pose la langue française.

Grâce à de très nombreuses listes pratiques et à des règles simples, le *Bescherelle Orthographe* permet de maîtriser la ponctuation et l'orthographe des mots tels qu'ils apparaissent dans le dictionnaire (l'*Orthographe d'usage*), ainsi que le pluriel des noms et des adjectifs, l'orthographe des verbes, et les accords des mots dans la phrase (l'*Orthographe grammaticale*).

Des listes d'homonymes, illustrées par des exemples, associent orthographe et sens et facilitent la mémorisation de ces mots.

Quelle est la structure du *Bescherelle Orthographe* ?

Le *Bescherelle Orthographe* compte cinq grandes parties.

L'Orthographe d'usage

En français, un son peut s'écrire de différentes façons ; inversement, une lettre peut se prononcer de plusieurs manières : c'est pourquoi le *Bescherelle Orthographe* part de la prononciation des sons pour amener l'utilisateur aux différentes façons de les écrire.

L'*Orthographe d'usage* (bandeau vert) consacre à chaque son du français un chapitre divisé en deux parties : les graphies et les régularités. Un glossaire placé au début de cette partie vous donne le sens des termes grammaticaux employés.

– Les graphies

Chaque paragraphe propose l'analyse détaillée des orthographes possibles. Celles-ci sont classées en fonction de leur fréquence et de leur complexité (des plus simples ou des plus fréquentes aux plus complexes ou aux plus rares).

Les listes de mots données en exemple sont classées selon la place de la graphie dans le mot (au début, au milieu, à la fin).

– Les régularités

On trouvera dans cette partie toutes les règles qui peuvent guider l'apprentissage de l'orthographe des mots.

- **L'Orthographe grammaticale**

  Divisée elle aussi en chapitres et en paragraphes, cette partie (bandeau violet) développe, sous forme de tableaux clairs et pratiques, les règles à connaître sur la formation des féminins et des pluriels, sur l'orthographe de la conjugaison, sur l'accord des noms, des adjectifs, des verbes…

- Vocabulaire

  De nombreux mots de la langue française se prononcent de la même façon mais diffèrent par l'orthographe : ce sont les homonymes. La partie *Vocabulaire* (bandeau bleu) comprend une importante liste d'homonymes utilisés dans des phrases, pour que leur sens apparaisse clairement.

  D'autre part, de nombreux mots sont formés à partir des racines grecques ou latines. Les racines les plus fréquentes sont présentées dans des tableaux récapitulatifs, qui donnent également leur sens et un ou deux exemples.

- **Tolérances orthographiques**

  Cette partie (bandeau brun) résume clairement les rectifications orthographiques recommandées par l'Académie française (*Journal officiel, 6-12-1990*).

- Lexique

  Le lexique (bandeau jaune) répertorie l'orthographe de 23 000 mots (noms, adjectifs, verbes), et renvoie, pour chacun, aux règles développées dans le corps de l'ouvrage ; c'est un outil précieux pour celui qui souhaite systématiser l'apprentissage de l'orthographe.

Comment utiliser le *Bescherelle Orthographe* ?

Les numéros qui figurent dans le *lexique* vous indiquent à quel paragraphe vous devez vous reporter. Ils sont de la couleur de la partie à laquelle ils renvoient.

Vous hésitez sur l'orthographe d'un mot ?

Consultez le lexique final. Vous trouverez le mot suivi d'un nombre en bleu qui vous renvoie à la liste des homonymes.

Exemple : coq 359   *le coq du poulailler*   *un œuf à la coque*

un maître-coq   *le coke de la chaufferie*

la coque du navire

Sans avoir étudié le latin ni le grec, vous désirez découvrir la composition de certains mots ? Consultez la partie *Étymologie*.

Exemple : kinésithérapeute   *kinési-*   gr.   mouvement

thérap(eu)-   gr.   soigner

ORTHOGRAPHE D'USAGE

ORTHOGRAPHE GRAMMATICALE

VOCABULAIRE

TOLÉRANCES ORTHOGRAPHIQUES

LEXIQUE

Les numéros renvoient aux numéros des paragraphes.

Symboles utilisés

attire l'attention
sur une nuance importante.

signale une exception.

invite à se reporter à un ou plusieurs
autres paragraphes pour
des informations complémentaires
ou plus approfondies.

⌬

signale que la phrase donnée
en exemple n'est pas correcte.

ORTHOGRAPHE D'USAGE

GLOSSAIRE DES TERMES GRAMMATICAUX

Sont expliqués ici les termes signalés par un astérisque (*) dans la partie *Orthographe d'usage*, ainsi que d'autres termes moins fréquents employés en raison de leur utilité pratique.

Dérivé

Un mot dérivé est un mot issu d'un autre mot ayant la même racine.

Exemple : Le nom *cyclisme* est dérivé du nom *cycle*.

Les mots dérivés interviennent dans la formation des familles de mots ; les connaître permet souvent de deviner l'orthographe d'un mot apparenté *(lait, laitier)*. On peut, de plus, établir des régularités dans les alternances orthographiques à l'intérieur d'une même famille de mots *(bête, bétail)*.

E muet

On appelle *e* muet le *e* qui ne s'entend pas à l'oral. Il est souvent placé à la fin d'un mot, mais on le trouve aussi au milieu d'un mot. Néanmoins, ce *e* peut se trouver prononcé, notamment dans le Sud de la France.

Exemples : *la chance – il joue – dévouement*

Étymologie

L'étymologie étudie l'origine des mots. Les mots français sont souvent d'origine latine ou grecque, mais ils peuvent aussi venir d'autres langues. En fonction de leur origine, les mots auront tendance à comprendre certaines lettres ou à se prononcer différemment.

Exemple : *un jean* (mot anglais, le son [i] s'écrit *ea*, le son [dʒ] s'écrit *j*)

Finale → *Position*

Graphie

La graphie d'un mot ou d'un son est sa représentation écrite, son orthographe. La première partie de chaque chapitre de l'*Orthographe d'usage* donne les graphies possibles d'un son, c'est-à-dire toutes les façons de l'écrire.

Exemple : Le son [a] peut s'écrire *a, à, â, e* :

a, à, â, e sont les graphies possibles du son [a].

Homonyme

Des mots homonymes se prononcent de la même façon tout en s'écrivant différemment. La deuxième partie de chaque chapitre de l'*Orthographe d'usage* (*Les régularités*) propose des séries d'homonymes pour habituer l'utilisateur à bien les distinguer. Exemple : Les homonymes en [o] : *saut, sceau, seau, sot*

Initiale → *Position*

Médiane → *Position*

Position

Les exemples sont classés en fonction de la position de la graphie étudiée dans le mot. Un son et sa représentation écrite peuvent se trouver à l'initiale (en début de mot), en position médiane (à l'intérieur d'un mot, ou devant un *e* muet final), en position finale (complètement à la fin d'un mot). Il arrive en effet qu'un son et sa graphie n'apparaissent qu'au début, à l'intérieur ou à la fin d'un mot. Grâce à ce classement, vous mémoriserez plus facilement leur orthographe.

Exemple : Dans le mot *acteur*, le *a* est en position initiale. Dans le mot *guitare*, le *a* est en position médiane. Dans le mot *cinéma*, le *a* est en position finale.

Régularités

La deuxième partie des chapitres de l'*Orthographe d'usage* propose des règles ou des tendances générales d'écriture des mots : c'est ce que l'on appelle des régularités.

Exemple :

7 Les mots en *-iatre*

Dans le vocabulaire de la médecine, les mots composés du suffixe grec *-iatre* (= *médecin*) ne prennent pas d'accent.

ALPHABET PHONÉTIQUE (A.P.I.)

Il s'agit de la notation adoptée par l'Association Phonétique Internationale pour désigner les sons. L'alphabet phonétique est placé entre crochets.

VOYELLES		SEMI-VOYELLES	CONSONNES	
[a] cinéma	[œ] fleur	[j] lieu	[b] baba	[ʀ] roi
[ɑ] château	[u] chou	[w] oui	[d] déjeuner	[s] sel
[e] dé	[y] illusion		[f] faim	[t] table
[ɛ] mets	[ɑ̃] chanter		[g] gâteau	[v] valise
[ə] petit	[ɛ̃] jardin		[k] cadeau	[z] maison
[i] souris	[ɔ̃] ronfler		[l] lait	[ʃ] chocolat
[o] rose	[œ̃] brun		[m] miel	[ʒ] ange
[ɔ] océan			[n] nappe	[ɲ] ignorer
[ø] jeudi			[p] pain	[ŋ] parking

ÉCRIRE *a* *t<u>a</u>ble*

LES DIFFÉRENTES GRAPHIES

| *a* comme p*a*nor*a*m*a*

INITIALE*		MÉDIANE*		FINALE*		
abri	agile	baccara	gare	acacia	cinéma	opéra
absent	ami	bar	guitare	agenda	cobra	panorama
accès	analyse	car	mare	alinéa	colza	tapioca
acteur	argent	cigare	phare	boa	delta	tombola
affaire	assez			camélia	extra	véranda
				caméra	gala	
				choléra	mimosa	

REM   Le son [a] s'écrit *ao* dans un seul mot : *paonne*.

2 *â* ou *à* comme *â*ne ou voil*à*

On rencontre *â* au début et à l'intérieur d'un mot.
On ne rencontre *à* qu'à la fin des mots.

- *â*

INITIALE	MÉDIANE				FINALE
âcre	acariâtre	câble	gâche	râle	.
âme	albâtre	câpre	grâce	râteau	.
âne	bâbord	châssis	hâte	relâche	.
âpre	bâillement	châtain	infâme	saumâtre	.
âtre	bâtiment	château	mâchefer	tâche	.
	bâton	crâne	mâle	théâtre	.
	blâme	débâcle	pâture		.

- *à*

INITIALE	MÉDIANE	FINALE			
.	.	à	celui-là	holà	voilà
.	.	au-delà	ceux-là	là	
.	.	celle-là	déjà	par-delà	

3 *e* comme f**e**mme ou ard**e**mment

Le son [a] s'écrit *e* dans trois mots isolés :

femme   *couenne*   *solennel*

Le son [a] s'écrit *e* dans les adverbes en *-emment* dérivés d'un adjectif terminé par *-ent.*

ardent	→	*ardemment*
conscient	→	*consciemment*
décent	→	*décemment*
différent	→	*différemment*
éminent	→	*éminemment*
fréquent	→	*fréquemment*
imprudent	→	*imprudemment*
indifférent	→	*indifféremment*
prudent	→	*prudemment*
récent	→	*récemment*
violent	→	*violemment*

REM   Les adverbes en *-ment* dérivés d'un adjectif terminé par *-ant* s'écrivent *-amment.*

brillant	→	*brillamment*
bruyant	→	*bruyamment*
complaisant	→	*complaisamment*
constant	→	*constamment*
courant	→	*couramment*
galant	→	*galamment*
incessant	→	*incessamment*
indépendant	→	*indépendamment*
savant	→	*savamment*
suffisant	→	*suffisamment*
vaillant	→	*vaillamment*

4 Tableau des graphies du son [a]

Le [a] de *papa*	INITIALE	MÉDIANE	FINALE
a	*anis*	*mare*	*tombola*
â	*âcre*	*bâton*	.
à	.	.	*déjà*
e (nn)	.	*solennel*	.
e (mm)	.	*prudemment*	.

5 Les homophones en *a*

L'accent circonflexe permet de distinguer les homophones.

acre — âcre		mal - mâle	
age âge		patte — pâte	
chasse châsse		tache — tâche	

6 *a* ou *â* dans les mots de la même famille

Dans les mots d'une même famille, le *a* peut s'écrire *a* ou *â*.
On écrit *â* quand le *a* est suivi d'une *consonne + e muet*.

a	*â*
acrimonie	âcre
encablure	câble
gracieux	grâce
infamie	infâme

7 Étymologie : les mots en *-iatre*

Dans le vocabulaire de la médecine, les mots composés du suffixe grec *-iatre*
(= *médecin*) ne prennent pas d'accent.

pédiatre	psychiatre

8 Les noms en *-as*

On trouve la graphie *as* (comme dans *bras*) dans de très nombreux
noms masculins terminés par le son [a].

bras	choucas	fracas	matelas
cabas	coutelas	frimas	repas
canevas	débarras	galetas	taffetas
chas	fatras	lilas	trépas

9 Les noms en *-at*

On trouve la graphie *at* (comme dans *format*) dans de très nombreux
noms masculins terminés par le son [a].

achat	lauréat	plat
candidat	magistrat	reliquat
carat	magnat	résultat
climat	odorat	syndicat
format	plagiat	thermostat

ÉCRIRE **è** *chèvre*

LES DIFFÉRENTES GRAPHIES

10 *è* ou *ê* comme flèche ou pêche

C'est le cas le plus simple. Pour un son entendu, nous n'aurons qu'à écrire une lettre et un accent.

En dehors du mot *être*, les graphies *ê* et *è* n'apparaissent jamais ni à l'initiale ni en finale.

■ *è*

INITIALE*	MÉDIANE*				FINALE*
.	algèbre	crème	hygiène	poème	.
.	anathème	dièse	liège	remède	.
.	arène	ébène	mèche	siège	.
.	artère	emblème	mélèze	solfège	.
.	ascète	éphèbe	modèle	stèle	.
.	bibliothèque	espèce	nièce	stratagème	.
.	blasphème	fève	obscène	système	.
.	brèche	fidèle	oxygène	théorème	.
.	cèdre	flèche	pièce	tiède	.
.	chèque	gangrène	piège	zèle	.
.	clientèle	glèbe	pinède		.
.	crèche	homogène	plèbe		.

⚠ *è* peut se trouver dans la dernière syllabe d'un mot :
  – devant s final prononcé : *aloès, cacatoès.*
  – devant s muet final : *abcès, accès, décès, excès, procès, succès.*

■ *ê*

INITIALE	MÉDIANE				FINALE
.	alêne	champêtre	fenêtre	honnête	.
.	arête	chêne	fête	pêche	.
.	baptême	conquête	frêle	rêve	.
.	bêche	enquête	grêle	revêche	.
.	bête	extrême	guêpe	salpêtre	.
.	carême	fêlure	hêtre	trêve	.

11 *ai* ou *aî* comme *aigle* ou *chaîne*

- *ai*

INITIALE	MÉDIANE			FINALE
aide	araignée	fraise	migraine	bai
aigle	aubaine	gaine	mortaise	balai
aigre	braise	glaise	raide	délai
aile	cimaise	glaive	rengaine	essai
aine	falaise	maigre	vingtaine	gai
aise	fontaine	malaise		geai

- *aî*

INITIALE	MÉDIANE			FINALE
aîné	chaîne	chaînette	chaînon	.

12 *ei* comme *peigne*
Cette graphie n'apparaît ni à l'initiale ni en finale.

INITIALE	MÉDIANE				FINALE
.	baleine	haleine	peine	seize	.
.	beige	neige	reine	treize	.
.	enseigne	peigne	seigle	veine	.

⚠ *eider* (initiale).

13 *et* ou *êt* comme *bouquet* ou *forêt*
On ne rencontre ces graphies qu'à la fin des mots.

- *et*

INITIALE	MÉDIANE	FINALE			
.	.	alphabet	complet	guichet	secret
.	.	bouquet	couplet	jet	sujet
.	.	budget	effet	juillet	volet
.	.	cabinet	filet	muguet	
.	.	chevet	guet	projet	

⚠ Dans le mot *mets*, *et* est suivi d'un *s* muet.

■ *êt*

INITIALE	MÉDIANE	FINALE
.	.	*apprêt*
.	.	*arrêt*
.	.	*benêt*
.	.	*forêt*
.	.	*genêt*
.	.	*intérêt*

14 *e(lle), e(mme), e(nne), e(sse), e(tte)* comme raqu**e**tte

Non moins fréquente, mais plus complexe, la graphie *e + double consonne*: *-e(lle), -e(mme), -e(nne), -e(sse), -e(tte)* peut aussi transcrire le son [ɛ] à la fin des mots.

e(lle)	*e(mme)*	*e(nne)*	*e(sse)*	*e(tte)*
aisselle	*dilemme*	*antenne*	*faiblesse*	*baguette*
chapelle	*flemme*	*benne*	*forteresse*	*brouette*
dentelle	*gemme*	*méditerranéenne*	*princesse*	*raquette*
vaisselle		*parisienne*	*sécheresse*	*squelette*

⚠ *elle, ennemi* (initiale).

15 *es, ex, ec, et* comme *es*cargot, *ex*amen

Devant une consonne, à l'initiale et en position médiane, le son [ɛ] est souvent obtenu par la seule présence du *e*.

INITIALE		MÉDIANE	FINALE	
eczéma	*ethnie*	*dessert*	*abdomen*	*mer*
escabeau	*examen*	*sexe*	*actuel*	*nef*
esculier	*excellent*	*texte*	*auquel*	*ouest*
escargot	*excessif*	*zeste*	*bief*	*requiem*
esclave	*excursion*		*cancer*	*sec*
escrime	*exemple*		*cep*	*sept*
espace	*exercice*		*chef*	*spécimen*
			ciel	*teck*
			concert	*test*
			est	*totem*
			hôtel	

REM Certains noms propres se terminent par *-ez*: *Rodez, Suez.*

16 *ey* ou *ay* comme pon*ey* ou Paragu*ay*

La graphie *ey* (empruntée à l'anglais) apparaît à la fin de quelques mots.

- *ey*

INITIALE	MÉDIANE	FINALE	
.	.	*hockey*	*poney*
.	.	*jockey*	*volley*

REM La graphie *ay* est employée dans de nombreux noms propres.

Bombay *Épernay* *Tokay* *Du Bellay* *Paraguay* *Uruguay*

17 Tableau des graphies du son [ɛ]

Le [ɛ] de *mère*	INITIALE	MÉDIANE	FINALE
è	.	*mèche*	.
ès	.	.	*abcès*
ê	.	*extrême*	.
ai	*aide*	*araignée*	*balai*
aî	*aîné*	*chaîne*	.
ei	.	*reine*	.
et	.	.	*juillet*
êt	.	.	*arrêt*
e (ll, mm, nn, ss, tt)e	.	.	*belle*
e (s, x, c, t, p, r, m, l)	.	*espace*	*mer*
ey	.	.	*poney*

LES RÉGULARITÉS*

18 Les noms et adjectifs en *-enne*

On utilise la finale *-enne* pour obtenir le féminin des noms et adjectifs désignant les habitants d'un pays ou d'une ville.

algérienne *parisienne* *ukrainienne*

19 *é* ou *ê* dans les mots d'une même famille

Dans les mots d'une même famille, le son [ɛ] s'écrit parfois *é*, parfois *ê*.
On écrit *ê* quand la voyelle *e* est suivie d'une *consonne + e muet*.

é	*ê*
bétail	*bête*
conquérant	*conquête*
crépu	*crêpe*
extrémité	*extrême*
mélange	*mêlée*
tempétueux	*tempête*

20 Les mots en -*ais*

On trouve la graphie *ais* (comme dans *anglais*) dans la grande majorité des mots masculins terminés par le son [ɛ].

anglais	*jais*
biais	*laquais*
bordelais	*marais*
charentais	*niais*
engrais	*rabais*
irlandais	*relais*

21 Les graphies *aie, aid, ait, aix*

Outre les conjugaisons, où ces graphies apparaissent très souvent, on rencontre la graphie *ai + lettre muette* dans quelques mots.

ait	*aie*	*aix*	*aid*
bienfait	*baie*	*faix*	*plaid*
lait	*futaie*	*paix*	
parfait	*haie*	*Roubaix*	
souhait	*pagaie*		

REM
On se reportera au *Bescherelle conjugaison* pour les terminaisons verbales en -*ai, -ais, -ait, -aient, -aie, -et, -ets* :
je chanterai, tu chantais, elles allaient, que j'aie, je mets, il met…

ÉCRIRE *é* *été*

LES DIFFÉRENTES GRAPHIES

22 *é* comme *émission*

La graphie simple *é* se trouve en toute position.

INITIALE*		MÉDIANE*		FINALE*	
écho	épreuve	célébrité	récépissé	acidité	pâté
éclat	équipe	déréglé	téléspectateur	beauté	pavé
éclipse	été	désespéré	témérité	comité	pré
électrique	éveil	déshérité	véracité	côté	quantité
émission				faculté	thé
				gaieté	traité

23 *ecc, eff, ell, ess* comme *eff*acer

Au début des mots, le son [e] peut s'écrire *e* + *double consonne* (*cc, ff, ll, ss*).

INITIALE				MÉDIANE	FINALE
ecchymose	effet	effusion	essaim	·	·
ecclésiastique	efficace	ellébore	essence	·	·
effacer	effort	ellipse	essentiel	·	·
effarant	effroi	essai	essor	·	·

24 *er* comme chant*er*, voili*er*

En position finale, le son [e] est très souvent rendu par -*er*, aussi bien pour l'infinitif des verbes (*chanter, aller*), pour le masculin de certains adjectifs (*dernier, premier*), que pour un grand nombre de noms (notamment de métiers).

INITIALE	MÉDIANE	FINALE			
·	·	acier	charcutier	escalier	plâtrier
·	·	atelier	charpentier	février	premier
·	·	banquier	chevalier	infirmier	singulier
·	·	boulanger	coucher	luthier	sommier
·	·	cahier	déjeuner	mobilier	souper
·	·	calendrier	dîner	ouvrier	voilier
·	·	cendrier	droitier	palier	
·	·	chantier	entier	passager	

25 ed, ez, ef ou œ comme pied ou phœnix

Ce sont quelques graphies rares et plus complexes.

ed	ez	ef	œ
pied	assez	clef (ou clé)	Œdipe
	chez		œnologue
	nez		œsophage
			phœnix

26 Tableau des graphies du son [e]

Le [e] de bébé	INITIALE	MÉDIANE	FINALE
é	écho	généreux	beauté
e (cc, ff, ll, ss)	essence	.	.
er	.	.	chantier
ed, ez, ef	.	.	pied
œ	œnologie	phœnix	.

LES RÉGULARITÉS*

27 Les noms en -ée

Un certain nombre de noms (le plus souvent féminins) se terminent par -ée.

FÉMININ

bouchée	chaussée	fée	marée	plongée
bouée	durée	fusée	orchidée	risée
buée	épée	idée	pâtée	traversée

Les dix noms suivants sont du masculin :

apogée, caducée, coryphée, lycée, mausolée, musée, périgée, périnée, pygmée, scarabée.

28 Les noms en -té ou -tié

On trouve é en finale dans les noms féminins terminés par té ou tié qui indiquent une qualité.

absurdité	antiquité	loyauté
activité	autorité	moitié
adversité	bonté	pitié
agilité	difficulté	sûreté
amabilité	fidélité	vanité
amitié	inimitié	

29 *é* ou *è* dans les mots d'une même famille

Dans les mots d'une même famille, le son [e] peut s'écrire parfois *é*
et parfois *è*. On écrit *è* quand la voyelle *e* est suivie d'une *consonne + e muet*.

è	*é*	*è*	*é*
algèbre	algébrique	mèche	éméché
allègre	allégrement	modèle	modélisation
artère	artériel	mystère	mystérieux
ascète	ascétique	obèse	obésité
athlète	athlétique	obscène	obscénité
bibliothèque	bibliothécaire	oxygène	oxygéné
brèche	ébréché	phénomène	phénoménal
célèbre	célébrité	pièce	rapiécé
chèque	chéquier	plèbe	plébéien
chimère	chimérique	poème	poésie
crème	écrémé	poète	poétesse
diabète	diabétique	prophète	prophétique
fidèle	fidélité	règle	réglage
fièvre	fiévreux	scène	scénique
gène	génétique	sèche	sécheresse
grève	gréviste	siècle	séculier
homogène	homogénéité	sincère	sincérité
hygiène	hygiénique	synthèse	synthétique
intègre	intégrité	système	systématique
lèpre	lépreux	zèbre	zébré
lièvre	lévrier	zèle	zélé

REM *Lièvre* et *lévrier* sont bien de la même famille : le *lévrier* est un chien employé
pour chasser le *lièvre*.

De même, *siècle* et *séculier* sont de la même famille : le mot *séculier* caractérise
le clergé vivant dans le *siècle* (dans le monde).

ÉCRIRE *i*   i̲dée

LES DIFFÉRENTES GRAPHIES

30 *i* comme fourm*i*

Le son [i] s'écrit *i* en toutes positions.

INITIALE*	MÉDIANE*			FINALE*	
ici	actrice	biche	fils	abri	jeudi
icône	alpiniste	cantine	girafe	ainsi	oui
idéal	arithmétique	cime	humide	apprenti	parmi
idée	auditif	comestible	liste	canari	qui
illettré	banquise	épique		épi	tri
ironique				étui	voici

31 *i*(lle) comme v*i*lle

Dans quelques mots comportant la graphie *ille*, le *i* se prononce [i].

bacille	Lille	pupille (de la nation)	ville (et ses composés)
codicille	mille	tranquille	

32 *î* comme d*î*ner

On rencontre la graphie *î* le plus souvent à l'intérieur du mot.

INITIALE	MÉDIANE				FINALE
.	abîme	dîner	gîte	presqu'île	.
	dîme	épître	huître	puîné	

⚠ *île, îlien* (initiale).

33 *ï* comme ma*ï*s

On rencontre la graphie *ï* le plus souvent à l'intérieur du mot.

INITIALE	MÉDIANE				FINALE
.	alcaloïde	exiguïté	maïs	ouïe	.
	cycloïde	héroïque	naïf	stoïque	

⚠ *inouï* (finale).

34 *y* comme st*y*le

La graphie *y* se trouve le plus souvent dans des mots d'origine grecque, en position médiane. On rencontre *y* aussi en position finale, dans des mots le plus souvent d'origine anglaise.

INITIALE	MÉDIANE				FINALE
.	*ankylose*	*ecchymose*	*lycée*	*polygone*	*abbaye*
.	*apocalypse*	*gypse*	*martyr*	*pseudonyme*	*derby*
.	*apocryphe*	*hydravion*	*myrrhe*	*psychose*	*hobby*
.	*bombyx*	*hydrogène*	*mythe*	*style*	*pays*
.	*cataclysme*	*hyperbole*	*onyx*	*xylophone*	*penalty*
.	*collyre*	*hypoténuse*	*oxyde*		*puy*
.	*cycle*	*hypothèque*	*paroxysme*		*rugby*

35 *ie, is, it, il* comme loter*ie*, perm*is*, l*it*, out*il*

On rencontre la graphie *i* + *lettre muette* à la fin des mots.

■ *ie*

INITIALE	MÉDIANE	FINALE			
.	.	*accalmie*	*biopsie*	*inertie*	*phobie*
.	.	*aciérie*	*bougie*	*jalousie*	*plaidoirie*
.	.	*agonie*	*bureaucratie*	*librairie*	*poulie*
.	.	*allergie*	*calvitie*	*loterie*	*prairie*
.	.	*amnésie*	*catalepsie*	*lubie*	*superficie*
.	.	*apoplexie*	*chiromancie*	*minutie*	*tautologie*
.	.	*aporie*	*éclaircie*	*modestie*	*théorie*
.	.	*argutie*	*écurie*	*névralgie*	*toupie*
.	.	*asepsie*	*effigie*	*nostalgie*	*tuerie*
.	.	*autarcie*	*euphorie*	*ortie*	*vigie*
.	.	*autocratie*	*facétie*	*panoplie*	*zizanie*
.	.	*autopsie*	*galaxie*	*pénurie*	
.	.	*avanie*	*ineptie*	*pharmacie*	

■ *is*

INITIALE	MÉDIANE	FINALE			
.	.	*appentis*	*coulis*	*logis*	*roulis*
.	.	*avis*	*devis*	*mépris*	*rubis*
.	.	*buis*	*éboulis*	*paradis*	*semis*
.	.	*cambouis*	*frottis*	*parvis*	*sursis*
.	.	*colis*	*hachis*	*permis*	
.	.	*coloris*	*huis*	*pilotis*	
.	.	*compromis*	*lavis*	*radis*	

■ *it*

INITIALE	MÉDIANE	FINALE			
.	.	*acabit*	*crédit*	*fortuit*	*produit*
.	.	*appétit*	*débit*	*fruit*	*profit*
.	.	*circuit*	*délit*	*gabarit*	
.	.	*conflit*	*édit*	*lit*	

REM On trouve la graphie *il* dans quelques noms masculins seulement : *coutil, fusil, outil.*

36 *ea* ou *ee* comme j*ea*n ou yank*ee*

Les graphies *ea* ou *ee*, beaucoup plus rares, indiquent une origine anglaise, parfois même allemande, des mots les comportant.

ea	*ee*
jean	*green*
leader	*sweepstake*
sweater	*tweed*
	yankee

REM Dans le mot allemand *lieder*, le son [i] s'écrit *ie*.

37 Tableau des graphies du son [i]

Le [i] de *nid*	INITIALE	MÉDIANE	FINALE
i	*idée*	*aliment*	*abri*
î	*île*	*gîte*	.
ï	.	*héroïque*	.
y	.	*polygone*	*penalty*
ie	.	.	*inertie*
is	.	.	*coulis*
it	.	.	*produit*
ea, ee	.	*jean*	*yankee*

38 Les noms en -*ie*

On trouve la graphie *ie* dans la plupart des noms féminins terminés par le son [i].

accalmie　　*bougie*　　*galaxie*　　*librairie*　　*toupie*

⚠ *fourmi, brebis, souris, nuit, perdrix.*

39 Les mots en -*is*

On trouve la graphie *is* dans la plupart des noms masculins terminés par le son [i].

devis　　*hachis*　　*paradis*　　*radis*

⚠ — *un nid*, *un puits*
　 — *brebis, souris* **sont du féminin.**

REM　La graphie *is* appparaît aussi très souvent dans la conjugaison des verbes des 2ᵉ et 3ᵉ groupes : *je finis, tu compris, ils se sont assis.*

40 Les mots en -*it*

On trouve la graphie *it* dans la plupart des noms masculins terminés par le son [i], et dans quelques adjectifs au masculin.

confit　　*fortuit*　　*fruit*　　*profit*

⚠ *nuit* **est du féminin.**

ÉCRIRE *O* *opéra, loto*

LES DIFFÉRENTES GRAPHIES

41 *O* (o ouvert) comme *O*céan
Le son [ɔ] s'écrit toujours *o*.

INITIALE*		MÉDIANE*			FINALE*
oasis	opéra	abord	coca	mort	.
obéissance	ordre	accord	drogue	politique	.
objet	oxygène	amorce	forêt	poterie	.
océan		azote	gorge	tort	.
odeur		bord	loterie	tortue	.
officiel		cloche	moderne	vaporisation	.

⚠ Le son [ɔ] peut s'écrire
– *au* : *Paul, saur.*
– *um*, dans quelques mots d'origine latine (*album, aquarium, maximum, opium*)
ou anglaise (*rhum*).
– *oo*, dans un mot d'origine arabe : *alcool.*

42 *O* (o fermé) comme ch*o*se
Le son [o] s'écrit *o* à l'intérieur des mots terminés par *-ose* et des mots
composés. Il marque alors la fin du préfixe (*mono-, pseudo-*) ou du premier mot
d'une composition (*socio-, psycho-, thermo-*).

INITIALE	MÉDIANE		FINALE	
.	agro-alimentaire	monologue	cargo	lavabo
.	audiovisuel	neurochirurgie	casino	loto
.	cellulose	oxydo-réduction	domino	piano
.	chose	pose	duo	scénario
.	dose	psychothérapie	écho	
.	ecchymose	rose		
.	glose	sociolinguistique		
.	glucose	vidéocassette		

43 *au* comme j*au*ne

Le son [o] s'écrit souvent *au*.

INITIALE		MÉDIANE		FINALE	
aubade	auprès	astronaute	gaufre	boyau	landau
aube	autocollant	chaude	jaune	étau	sarrau
audace	autonome	émeraude	pause	joyau	tuyau
audiovisuel	autoroute	épaule	taupe		
		faute			

44 *eau* comme bat*eau*

La graphie *eau* apparaît surtout en finale.

INITIALE	MÉDIANE	FINALE			
.	.	anneau	ciseau	lionceau	trousseau
.	.	bateau	eau	pinceau	vaisseau
.	.	caniveau	escabeau	rideau	
.	.	cerceau	hameau	traîneau	

45 *ô* ou *ôt* comme ar*ô*me ou bient*ôt*

On trouve *ô* essentiellement en position médiane ; *ôt* apparaît à la fin de quelques mots.

- *ô*

INITIALE	MÉDIANE				FINALE
.	apôtre	côte	môle	rôti	.
.	arôme	enjôleur	monôme	symptôme	.
.	chômage	fantôme	pôle	tôle	.
.	clôture	geôle	pylône		.
.	cône	hôte	rôdeur		.
.	contrôle	icône	rôle		.

⚠ *allô !*

- *ôt*

INITIALE	MÉDIANE	FINALE			
.	.	aussitôt	entrepôt	sitôt	tôt
.	.	bientôt	impôt	suppôt	
.	.	dépôt	plutôt	tantôt	

46 *ot* comme escarg*ot*

Le son [o] peut se transcrire *ot* en position finale.

INITIALE	MÉDIANE	FINALE			
.	.	argot	escargot	lingot	tricot
.	.	chariot	goulot	matelot	trot
.	.	complot	haricot	pavot	
.	.	coquelicot	hublot	rabot	
.	.	ergot	javelot	sabot	

47 *oc, op* ou *os* comme cr*oc*, gal*op* ou d*os*

À la fin de certains mots, le son [o] peut s'écrire *o + consonne muette*
(*c, p, s*).

oc	*op*	*os*	
accroc	galop	dos	propos
croc	sirop	enclos	repos
	trop	héros	tournedos
		os (pluriel)	

REM   On entend le son [s] au singulier dans le mot *os*.

48 *aut, aud* ou *aux* comme artich*aut*, réch*aud* ou f*aux*

Les graphies *aut, aud, aux* se trouvent uniquement en position finale.

aut		*aud*	*aux*
artichaut	saut	badaud	chaux
assaut	soubresaut	crapaud	faux
défaut	sursaut	réchaud	taux
héraut			

49 *aw, a(ll)* ou *oa* comme cr*aw*l, footb*all* ou g*oa*l

Les graphies *aw, a(ll)* et *oa* (qui transcrivent le son [o]) sont très rares
et apparaissent dans des mots d'origine étrangère.

50 Tableau des graphies du son [ɔ]

Le [ɔ] de *sol*	INITIALE	MÉDIANE	FINALE
o	objet	cloche	.
au	.	saur	.
um	.	.	album

51 Tableau des graphies du son [o]

Le [o] de *saule*	INITIALE	MÉDIANE	FINALE
o	.	*diplomacie*	*piano*
au	*audace*	*jaune*	*tuyau*
eau	.	.	*râteau*
ô	.	*fantôme*	.
ôt	.	.	*bientôt*
oc, op, os	.	..	*croc*
aut, aud, aux	.	.	*artichaut*

LES RÉGULARITÉS*

52 *o* ou *ô* dans les mots d'une même famille

Dans les mots d'une même famille, le son [o] peut s'écrire parfois *o* et parfois *ô*. On écrit *ô* quand la voyelle *o* est suivie d'une *consonne(s) + e muet.*

ô	*o*
arôme	*aromatique*
cône	*conique*
côte	*coteau*
diplôme	*diplomatique*
drôle	*drolatique*
fantôme	*fantomatique*
pôle	*polaire*
symptôme	*symptomatique*
trône	*intronisation*

ÉCRIRE *eu* *dans<u>eu</u>se*

Nous ne traiterons pas ici le cas du *e muet* [ə] du français, qui s'écrit *e*.

On le trouve dans des mots aussi fréquents que : *je, me, te, le, ce, se* et dans de nombreux noms (*cheval, regard*). À l'oral, il peut être supprimé sans gêner la compréhension : *boul(e)vard, lot(e)rie, bib(e)ron*.

Il est prononcé plus « ouvert » que le son [ø], ce qui permet d'opposer : *je* et *jeu*
→ paragraphes 220 à 228.

LES DIFFÉRENTES GRAPHIES

53 *eu* comme *eu*ropéen

On écrit *eu* en toutes positions.

INITIALE*		MÉDIANE*		FINALE*	
eucalyptus	*eurasien*	*baladeuse*	*morveuse*	*adieu*	*épieu*
eucharistie	*euristique*	*berceuse*	*nerveuse*	*aveu*	*feu*
euclidien	*européen*	*chanteuse*	*placeuse*	*bleu*	*hébreu*
eunuque	*euthanasie*	*chauffeuse*	*pulpeuse*	*cheveu*	*jeu*
euphémisme	*eux*	*danseuse*	*religieuse*	*désaveu*	*milieu*
euphonie		*lessiveuse*		*dieu*	*neveu*
euphorique		*monstrueuse*		*enjeu*	*peu*

54 *eux* comme *cheveux*

Le son [ø] peut se transcrire *eux* en finale. Cette graphie sert à former de nombreux adjectifs masculins qui se terminent par *-eux* au singulier et au pluriel.

INITIALE	MÉDIANE	FINALE			
·	·	*ambitieux*	*fougueux*	*majestueux*	*rigoureux*
·	·	*belliqueux*	*glorieux*	*merveilleux*	*rugueux*
·	·	*boiteux*	*grincheux*	*moelleux*	*sinueux*
·	·	*chanceux*	*hasardeux*	*nerveux*	*veineux*
·	·	*courageux*	*herbeux*	*nuageux*	*vieux*
·	·	*douloureux*	*honteux*	*paresseux*	

REM Quelques noms ont un pluriel particulier en *-eux*.

ciel → *cieux*   *œil* → *yeux*

55 *eue, œu* ou *ö* comme lie*ue*, n*œu*ds ou maelströ̈m

Le son [ø] s'écrit *eue* à la fin de quelques mots.

banlieue   *lieue*   *queue*

Le son [ø] s'écrit *œu* ; cette graphie est souvent suivie d'une ou plusieurs consonnes muettes.

bœufs   *nœuds*   *œufs*   *vœux*

REM — Au singulier, on prononce la consonne finale de *bœuf*, d'*œuf*.
La graphie *œ* transcrit alors un son plus ouvert [œ] → paragraphe 59.
— Le son [ø] s'écrit *ö* dans des mots (rares) d'origine étrangère : *angström, maelström*.

56 Tableau des graphies du son [ø]

Le [ø] de *feu*	INITIALE	MÉDIANE	FINALE
eu	*euphorie*	*chanteuse*	*feu*
eux	.	.	*délicieux*
eue	.	.	*banlieue*
œu	.	.	*nœud*
ö	.	*maelström*	

LES RÉGULARITÉS*

57 *eu* ou *eû* dans les mots d'une même famille

Dans les mots d'une même famille, le son [ø] peut parfois s'écrire *eu*, parfois *eû*. On écrit *eû* quand *eu* est suivi d'une consonne et d'un *e muet*.

eû   *eu*
jeûne   *déjeuner*

ÉCRIRE *eu* *tilleul*

LES DIFFÉRENTES GRAPHIES

58 *eu* comme m*eu*ble

Le son [œ] (ouvert) s'écrit le plus souvent *eu*. Il n'apparaît jamais à l'initiale ni en finale. On le rencontre surtout devant *r*, mais aussi devant *l, f, v*, ainsi que devant les groupes *bl, gl, pl* et *vr*.

eu(ble)	*eu(gle)*	*eu(ple)*	*eu(r)*	
immeuble	aveugle	peuple	admirateur	compositeur
meuble			auditeur	éditeur
			chanteur	imitateur

eu(ve)	*eu(vre)*	*eu(f)*	*eu(l)*	
épreuve	couleuvre	neuf	aïeul	linceul
fleuve	pieuvre	veuf	filleul	seul
preuve			glaïeul	tilleul

59 *œ, œu* ou *ue* comme *œillet*, b*œu*f ou acc*ue*il

On rencontre la graphie *œ* dans *œillet* et dans les mots de la même famille (*œillère, œillade*).

On trouve la graphie *œu* dans quelques mots :

bœuf	œufrier
chœur	œuvre (et ses composés :
cœur (et ses composés : *écœurer*...)	chef-d'œuvre, hors-d'œuvre,
mœurs	main-d'œuvre, œuvrer...)
œuf	rancœur

Un certain nombre de mots ont une graphie très particulière (*ue*) en raison de la consonne qui précède et qui impose la présence d'un *u*.

accueil (et les mots de la même famille : *cueillir*...)
cercueil
écueil
orgueil
recueil

60 *e*, *u* ou *i* comme flipp*e*r, tr*u*st ou fl*i*rt

Le son [œ] s'écrit *e*, *u* ou *i* dans quelques mots empruntés à l'anglais.

e(r)	*u*	*i*
bookmaker	*bluff*	*flirt*
clipper	*trust*	*tee-shirt*
computer		
flipper		
manager		
quaker		
speaker		

61 Tableau des graphies du son [œ]

Le [œ] de *beurre*	INITIALE*	MÉDIANE*	FINALE*
eu		*fleuve*	
œ		*œillet*	
œu		*cœur*	
ue		*orgueil*	
e(r)		*manager*	
u		*bluff*	
i		*tee-shirt*	

ÉCRIRE *in*   *rai**sin**, lu**n**di*

LES DIFFÉRENTES GRAPHIES

62   *in* ou *im* comme but*in* ou t*im*bale

La graphie *in* est la graphie la plus fréquente du son [ɛ̃].

INITIALE*		MÉDIANE*	FINALE*		
incorrect	insecte	cinq	brin	engin	vilebrequin
indigne	intérêt	dinde	butin	jardin	
individuel	intervalle	linge	colin	matin	
infinitif	inventeur	pintade	déclin	raisin	
influence		singe	enfin	ravin	

Devant les consonnes *b* et *p*, *in* devient *im*.
Pour le cas de *imm* ⟶ paragraphe 164.

INITIALE			MÉDIANE		FINALE
imbattable	imparfait	impôt	limpide	timbale	
imbécile	impatient	imprudent	pimpant	timbre	
impact	impérial		simple		
impair	important		simplicité		

63   *en* comme musici*en*

Le son [ɛ̃] s'écrit *en* uniquement en finale.

INITIALE	MÉDIANE	FINALE			
		académicien	chrétien	européen	musicien
		aérien	citoyen	lien	norvégien
		ancien	collégien	luthérien	parisien
		aryen	combien	lycéen	physicien
		bien	doyen	magicien	pyrénéen
		chien	égyptien	mitoyen	rien
		chirurgien	électricien	moyen	vendéen

⚠ *benjamin* (médiane).

64 *ain* ou *aint* comme b*ain* ou s*aint*

Le son [ɛ̃] peut s'écrire *ain* en position médiane et finale ; la graphie *aint* ne se trouve qu'en finale.

■ *ain*

INITIALE	MÉDIANE	FINALE			
.	contrainte	airain	levain	pain	souterrain
.	maintenant	bain	main	quatrain	terrain
.	plainte	gain	nain	sain	train

⚠ *ainsi* (initiale).

■ *aint*

INITIALE	MÉDIANE	FINALE		
.	.	contraint	maint	saint

65 *ein* ou *eint* comme fr*ein* ou p*eint*

Le son [ɛ̃] peut s'écrire *ein* en position médiane ou finale ; la graphie *eint* n'apparaît qu'à la fin des mots.

■ *ein*

INITIALE	MÉDIANE		FINALE			
.	peinture	teinture	frein	plein	rein	sein

■ *eint*

INITIALE	MÉDIANE	FINALE		
.	.	éteint	peint	teint

66 *ym, yn, inct, aim* comme s*ym*phonie, l*yn*x, inst*inct*, f*aim*

Ce sont les graphies du son [ɛ̃] les plus rares.

ym	*yn*	*inct*	*aim*
cymbale	larynx	distinct	daim
lymphe	lynchage	indistinct	essaim
symphonie	lynx	instinct	faim
thym	pharynx		

67 Le son [œ̃] s'écrit *un* comme embr*un*

Les sons [ɛ̃] (de *brin*) et [œ̃] (de *brun*) sont de moins en moins différenciés.
On peut cependant opposer encore quelques mots :

[ɛ̃]	[œ̃]
brin	*brun*
empreinte	*emprunte*

Le son [œ̃] s'écrit le plus souvent *un*.

INITIALE	MÉDIANE	FINALE	
.	*emprunter*	*aucun*	*jeun (à)*
.	*junte*	*brun*	*opportun*
.	*lundi*	*chacun*	*quelqu'un*
.	*munster*	*commun*	*tribun*
.		*embrun*	*un*

68 *unt* ou *um* comme déf*unt* ou parf*um*

Le son [œ̃] s'écrit aussi, mais très rarement, *unt* ou *um*, à la fin des mots.

unt	*um*
défunt	*parfum*
emprunt	

69 Tableau des graphies du son [ɛ̃]

Le [ɛ̃] de *fin*	INITIALE	MÉDIANE	FINALE
in	*infinitif*	*linge*	*matin*
im	*impatient*	*simple*	.
en	.	.	*magicien*
ain	.	*maintenant*	*train*
aint	.	.	*contraint*
ein	.	*teinture*	*plein*
eint	.	.	*éteint*
yn	.	*lynx*	
ym	.	.	*thym*
inct	.	.	*distinct*
aim	.	.	*faim*

70 Tableau des graphies du son [œ̃]

Le [œ̃] de *un*	INITIALE	MÉDIANE	FINALE
un	·	*emprunter*	*brun*
um	·	·	*parfum*
unt	·	·	*défunt*

LES RÉGULARITÉS*

71 Emploi de *en*

La graphie *en* est très utilisée pour produire des noms de métiers et d'habitants (ville, région ou pays).

musicien   *alsacien*

Par ailleurs, *en* se trouve toujours après les voyelles *i* et *é*.

ancien   *lycéen*

⚠ *examen, minoen.*

ÉCRIRE *an* *ancien*

LES DIFFÉRENTES GRAPHIES

72 *an* ou *en* comme am*an*de ou m*en*the

Les deux graphies les plus simples du son [ã] sont *an* et *en*.
La graphie *en* n'apparaît jamais en position finale.

■ *an*

INITIALE*	MÉDIANE*	FINALE*
ancien	*avalanche*	*artisan*
ancre	*banque*	*cadran*
anglais	*langage*	*cardan*
angle	*manche*	*divan*
angoisse	*manque*	*écran*
antenne	*rançon*	*océan*
antérieur	*scaphandre*	*ruban*
antique	*tranquille*	*slogan*
		volcan

■ *en*

INITIALE	MÉDIANE	FINALE
enchanteur	*attention*	
encre	*calendrier*	
endroit	*cendre*	
enfant	*centre*	
enfin	*commentaire*	
enjeu	*menthe*	
ennui	*tendre*	
enquête	*tension*	

Devant les consonnes *b*, *p* et *m*, les graphies *an* et *en* deviennent *am* et *em*.

amb : *amb*re, alambic.
amp : *amp*le, camp.
emb : *emb*arquer, ensemble.
emm : *emm*uré.
emp : tempe, temps.

Il n'existe pas de règle permettant de prévoir la graphie du son [ã] devant une consonne prononcée. Les graphies *an* et *en* apparaissent souvent dans les finales *-ance* et *-ence*, *-ande* et *-ende*, *-anse* et *-ense*, *-ante* et *-ente*. Voici la liste de quelques-uns de ces mots.

ance	ence	ande	ende
abondance	absence	commande	commende
alliance	adhérence	contrebande	dividende
ambiance	affluence	demande	légende
assistance	concurrence	guirlande	prébende
circonstance	contingence	offrande	provende
croissance	décence		
distance	différence		
finance	évidence		
nuance	influence		
tolérance	urgence		

anse	ense	ante	ente
danse	dense	amiante	attente
ganse	dépense	brocante	charpente
panse	immense	dilettante	descente
transe	intense	épouvante	entente
		soixante	trente

73 *ant* ou *ent* comme croiss*ant* ou d*ent*

On trouve, en position finale, d'autres graphies fréquentes du son [ã].

■ *ant*

INITIALE	MÉDIANE	FINALE		
.	.	aimant	croissant	piquant
.	.	auparavant	fabricant	stimulant
.	.	carburant	flamant	volant

■ *ent*

INITIALE	MÉDIANE	FINALE		
.	.	absent	dent	licenciement	vêtement
.	.	aliment	divergent	régiment	violent
.	.	argent	équivalent	sentiment	
.	.	arpent	expédient	supplément	
.	.	bâtiment	insolent	urgent	

74 *and, ang, anc* ou *aon* comme march*and*

Ces graphies sont rares.

-*and* : *chaland, flamand, goéland, marchand.*

-*ang* : *étang, rang, sang.*

-*anc* : *banc, blanc, flanc.*

-*aon* : *faon, paon, taon.*

⚠ Certains homonymes de la même famille mais de nature différente n'ont pas la même orthographe → Homonymes, paragraphes 357 à 381.

différend (nom) − *différent* (adjectif) − *différant* (participe présent)
résident (nom) − *résidant* (participe présent)

75 Tableau des graphies du son [ã]

Le [ã] de *enfant*	INITIALE	MÉDIANE	FINALE
an	*ancien*	*avalanche*	*artisan*
am	*ambre*		*camp*
en	*encre*	*attention*	.
em	*embarquer*	*temps*	.
ant	.	.	*carburant*
ent	.	.	*absent*
and, ang, anc	.	.	*flamand*
aon	.	.	*paon*

RÉGULARITÉS*

76 Les adverbes en -*ment*

Dans les adverbes en -*ment*, le son [ã] s'écrit toujours -*ent*.

gentiment   *modérément*   *précisément*   *spontanément*

77 Les participes présents

Les participes présents (ainsi que les gérondifs) se terminent toujours par -*ant*.

aimant − *en aimant*
comprenant − *en comprenant*
dormant − *en dormant*
finissant − *en finissant*

78 Les adjectifs verbaux en *-ent*

Les adjectifs verbaux sont des participes présents employés comme adjectifs, mais leur orthographe peut différer de celle des participes présents.

PARTICIPE PRÉSENT	ADJECTIF VERBAL
adhérant	adhérent
affluant	affluent
convergeant	convergent
différant	différent
divergeant	divergent
émergeant	émergent
équivalant	équivalent
excellant	excellent
influant	influent
négligeant	négligent
précédant	précédent
résidant	résident
somnolant	somnolent

79 Les mots en *-and* et en *-ang*

Pour déterminer s'il y a une consonne muette à la fin d'un mot, et laquelle, on peut souvent avoir recours à un mot de la même famille dans lequel la consonne s'entend.

marchand → *marchander, marchandise*

rang → *ranger, rangement*

sang → *sanglant, sanguin*

ÉCRIRE *on*   *jambon*

LES DIFFÉRENTES GRAPHIES

80 *on* comme c*on*fiserie

En règle générale, le son [ɔ̃] s'écrit *on*.

INITIALE*	MÉDIANE*	FINALE*
oncle	bonjour	accordéon
onde	bonsoir	balcon
ondée	bonté	béton
ondulatoire	concert	carton
ongle	concurrent	faucon
ontogenèse	condition	jambon
onze	confiserie	nourrisson
	congrès	saucisson
	conseil	torchon
	contraire	

81 *om* comme c*om*pagnie

Le son [ɔ̃] s'écrit *om* devant les consonnes *b* ou *p*. En position finale, *om* se trouve devant une consonne muette (*plomb*).

INITIALE	MÉDIANE		FINALE
ombre	bombe	complet	aplomb
	combat	complice	coulomb
	combien	comptabilité	plomb
	comble	comptable	prompt
	compact	comptant	surplomb
	compagnie	comp	
	compagnon	compteur	
	compétition	comptine	

⚠ *bonbon, bonbonne, bonbonnière* et *embonpoint*.

On écrit également *om* dans les noms suivants :
— devant t : *comte, comté, comtesse*.
— à la fin du mot : *nom, prénom, pronom, renom, surnom*.

82 *ond, ont, onc* ou *ons* comme g*ond*, p*ont*, j*onc*

On trouve enfin la graphie *on* devant certaines consonnes muettes : *d, t, c.*

■ *ond*

INITIALE	MÉDIANE	FINALE			
.	.	bas-fond	gond	plafond	vagabond
.	.	bond	haut-fond	profond	
.	.	fécond	moribond	pudibond	
.	.	fond	nauséabond	second	

■ *ont*

INITIALE	MÉDIANE	FINALE
.	.	dont
.	.	entrepont
.	.	pont

■ *onc*

INITIALE	MÉDIANE	FINALE
.	.	ajonc
.	.	jonc

Le son [5] s'écrit souvent *ons* dans la conjugaison à la 1re personne du pluriel.

nous aimons   *nous finirons*   *nous étions*

REM   Certains mots présentent une orthographe particulière :

fonts   *long*   *punch*   *tréfonds*

83 Tableau des graphies du son [5]

Le [5] de *bonbon*	INITIALE	MÉDIANE	FINALE
on	*on*cle	*bonjour*	*accordéon*
om	*om*bre	*combat*	*aplomb*
ond	.	.	*bond*
ont	.	.	*pont*
onc	.	.	*ajonc*

84 Les mots en -*ond*

Pour savoir s'il faut écrire une consonne muette à la fin d'un mot, et laquelle, on peut parfois s'aider d'un autre mot de la même famille dans lequel la consonne se prononce.

bond   → *bondir*
fécond   → *fécondation*
fond   → *fondation*
profond → *profondeur*
second   → *secondaire*
vagabond → *vagabonder*

ÉCRIRE *oi*   *n**oi**x*

LES DIFFÉRENTES GRAPHIES

85 *oi* ou *oî* comme b*oi*sson ou b*oî*te

Le son [wa] s'écrit le plus souvent *oi*.

INITIALE*		MÉDIANE*		FINALE*	
oiseau	oisif	boisson	soirée	loi	quoi
oiseleur	oisillon	poignée	toit	moi	toi

REM
– À l'initiale, on ne trouve la graphie *oi* que dans *oiseau, oisiveté* et les mots de ces familles (*oisillon, oisif*…).

– On rencontre la graphie *oî* dans quelques mots : *boîte, cloître, croître*. Mais depuis 1993, on tolère : *boite, boitier*… ⟶ paragraphe 385.

86 *ois, oit, oix, oie, oid* comme p*ois*, étr*oit*, n*oix*, f*oie*, fr*oid*

En finale, le son [wa] est souvent écrit *oi + e* ou *oi + consonne muette* (*d, s, t, x*).

ois	*oit*	*oix*	*oie*	*oid*	*oids*
autrefois	adroit	croix	foie	froid	contrepoids
bois	détroit	noix	joie		poids
chamois	endroit	poix	oie		
fois	étroit	voix	voie		
mois	exploit				
quelquefois	toit				

87 *oy* comme n*oy*au

À l'intérieur d'un mot, le son [wa] peut s'écrire *oy* (toujours suivi d'une voyelle).

INITIALE	MÉDIANE				FINALE
	dénoyauter	moyen	royal	voyage	
	mitoyen	noyade	royauté	voyageur	

REM
La graphie *oy* transcrit en réalité un double son : [wa] + [ʒ].

88   *ua*, *oua* comme aq*ua*rium

Les graphies *ua* et *oua* sont des graphies particulières du son [wa] ; elles n'apparaissent que dans quelques mots.

ua	*oua*
aquarium	*douane*
équateur	*ouaille*
square	*ouate*
	pouah
	zouave

REM   Il existe deux autres graphies exceptionnelles : *moelle*, *poêle*.

89   *wa* comme *wa*piti

Le son [wa] s'écrit *wa* au début de quelques mots d'origine étrangère. En voici les principaux.

walé (africain)	*warning* (anglais)
wali (arabe)	*water-polo* (anglais)
wallaby (australien)	*waterproof* (anglais)
wallon (francique)	*waters* (anglais)
wapiti (américain)	*watt* (anglais)

REM   *walkman* (baladeur) se prononce [wokman].

90   Tableau des graphies du son [wa]

Le [wa] de *loi*	INITIALE	MÉDIANE	FINALE
oi	*oiseau*	*soirée*	qu*oi*
oid	.	.	*fr*o*id*
oie	.	.	*j*oie
ois	.	.	*m*ois
oit	.	.	*t*oit
oix	.	.	*p*oix
oy	.	*voyage*	.
oua	.	*douane*	.
ua	.	*square*	.

91 Les noms et les adjectifs en -*ois*

Le son [wa] est souvent écrit *oi* + *s* à la fin des mots. Cette finale -*ois* est très « productive » dans les noms et les adjectifs dérivés d'une localité ou d'une région.

gallois
lillois
luxembourgeois

92 Les mots en -*oit*

Pour s'assurer de la présence du *t* muet dans les mots en -*oit*, on peut s'aider de mots de la même famille où le *t* s'entend.

adroit	⟶	*adroite*
étroit	⟶	*étroite*
exploit	⟶	*exploiter*
toit	⟶	*toiture*

ÉCRIRE *oin*   *foin*

LES DIFFÉRENTES GRAPHIES

93 *oin* comme gr*oin*

Il existe plusieurs façons d'écrire le son complexe [wɛ̃]. La graphie *oin* est la graphie la plus simple pour transcrire le son [wɛ̃].

INITIALE*	MÉDIANE*		FINALE*	
oindre	amoindrir	moindre	besoin	groin
	joindre	pointer	coin	loin
			foin	témoin

94 *oing*, *oins* ou *oint* comme c*oing* ou embonp*oint*

En finale, le son [wɛ̃] est souvent écrit *oin* + *consonne muette* (*oing*, *oins*, *oint*).

oing	*oint*			
coing	adjoint	conjoint	disjoint	joint
poing	appoint	contrepoint	embonpoint	point

REM   — la graphie *ouen* est très rare. *Saint-Ouen*
— À ces listes, il faut ajouter les trois premières personnes des verbes en -*oindre* : *je joins, tu joins, il joint*, ainsi que le participe passé : *disjoint*

95 *ouin* comme mars*ouin*

On rencontre *ouin* à la fin de quelques mots seulement.

baragouin   *bédouin*   *marsouin*   *pingouin*

96 Tableau des graphies du son [wɛ̃]

Le [wɛ̃] de *foin*	INITIALE	MÉDIANE	FINALE
oin	oindre	pointer	loin
oing	.	.	coing
oint		.	point
ouin	.	.	pingouin

ÉCRIRE *i**ll***   *grose**ill**e*

LES DIFFÉRENTES GRAPHIES

97 *y* ou *i* comme *y*aourt ou pap*i*er

Les deux graphies les plus simples du son [j] sont : *y* et *i*. Elles sont très rares en début de mot et elles n'apparaissent jamais en finale pour traduire le son [j].

- *y*

INITIALE*		MÉDIANE*		FINALE*
yacht	*yeux*	*attrayant*	*mareyeur*	
yack	*yiddish*	*balayeur*	*maya*	
yankee	*yoga*	*bruyant*	*moyen*	
yaourt	*yog(h)ourt*	*clairvoyant*	*moyeu*	
yéti	*yougoslave*	*crayon*	*nettoyage*	
		débrayage	*nettoyeur*	
		doyen	*non-voyant*	
		effrayant	*payant*	
		employeur	*payeur*	
		ennuyeux	*rayon*	
		essayage	*seyant*	
		frayeur	*soyeux*	
		joyeux	*voyage*	

- *i*

INITIALE		MÉDIANE		FINALE
iode		*alliance*	*inférieur*	
ion		*antérieur*	*ingénieur*	
ionien		*bijoutier*	*insouciance*	
ionique		*cahier*	*luthier*	
iota		*cellier*	*méfiance*	
		commercial	*papier*	
		confiance	*social*	
		extérieur	*spécial*	
		glacial	*supérieur*	

98 *il* ou *ill* comme b*ill*e ou millefeu*ill*e

Complexes, mais fréquentes, les graphies *il* et *ill* transcrivent elles aussi le son [j].

■ *ill*

INITIALE	MÉDIANE		DEVANT E FINAL*		FINALE
.	aiguillage	feuillage	abeille	faucille	.
.	bataillon	grillage	aiguille	feuille	.
.	brouillon	oreillons	bataille	fille	.
.	carillon	outillage	bille	groseille	.
.	conseiller	pillage	brindille	millefeuille	.
.	coquillage	quincaillier	chenille	oreille	.
.	échantillon	réveillon	chèvrefeuille	pupille (de	.
.			corneille	l'œil)	.
.			faille	taille	.
.			famille	volaille	.

■ *il*

INITIALE	MÉDIANE	FINALE			
.	.	accueil	cercueil	fauteuil	recueil
.	.	ail	cerfeuil	œil	seuil
.	.	appareil	chevreuil	orgueil	soupirail
.	.	bail	écueil	orteil	treuil
.	.	bétail	éveil	pareil	

⚠ Quelques mots comportant la même graphie *ille* se prononcent [il].

bacille   pupille (de la nation)
codicille   tranquille
Lille   ville (et ses composés)
mille

99 Tableau des graphies du son [j]

Le [j] de *feuille*	INITIALE	MÉDIANE	DEVANT E FINAL	FINALE
y	yoga	rayon	.	.
i	iode	confiance	.	.
ill	.	réveillon	fille	.
il	.	.	.	ail

100 Les mots en -*iller* et -*illier*

On écrit *ill* dans les verbes en -*ailler*, -*eiller*, -*iller*.

écailler	*conseiller*	*fourmiller*
travailler	*réveiller*	*sautiller*

La graphie *ill* apparaît aussi dans les noms en -*ailler*, -*aillier*, -*eiller* ou -*eillier*.

ailler	*aillier*	*eiller*	*eillier*
poulailler	*joaillier*	*conseiller* (nom)	*groseillier*
	quincaillier		*marguillier*

101 Les mots en -*ail* ou -*aille*

Le son [aj] s'écrit -*ail* à la fin des noms masculins et -*aille* à la fin des noms féminins.

MASCULIN	FÉMININ
ail	*maille*
gouvernail	*paille*

102 Les noms en -*eil* ou -*eille*

Le son [ej] s'écrit -*eil* à la fin des noms masculins et -*eille* à la fin des noms féminins.

MASCULIN	FÉMININ
conseil	*abeille*
soleil	*groseille*

103 Les noms en -*euil*, -*euille* et -*ueil*

Le son [œj] s'écrit toujours -*euille* à la fin des noms féminins, et -*ueil* après les consonnes *c* et *g*.

feuille	*accueil*	*orgueil*

Le son [œj] s'écrit en général -*euil* à la fin des noms masculins.

fauteuil	*seuil*

⚠ – Les noms masculins formés sur -*feuille* : *chèvrefeuille*, *millefeuille*, *portefeuille*.
– *œil* (et les mots composés avec *œil*).

ÉCRIRE *ch* *chocolat*

LES DIFFÉRENTES GRAPHIES

104 *ch* comme qui*ch*e

Le son [ʃ] est le plus souvent écrit *ch.*

INITIALE*	MÉDIANE*	DEVANT E FINAL*		FINALE*
chacun	*achat*	*bâche*	*hache*	*lunch*
chagrin	*acheteur*	*biche*	*louche*	*match*
chaîne	*achèvement*	*bouche*	*mèche*	*ranch*
chaise	*bachelier*	*branche*	*miche*	*sandwich*
chambre	*bouchon*	*broche*	*moche*	
champion	*colchique*	*bûche*	*moustache*	
chaud	*couchette*	*crèche*	*panache*	
chef	*déchet*	*embûche*	*pêche*	
cher	*fâcheux*	*flèche*	*quiche*	
chez	*jachère*	*fraîche*	*reproche*	
chiffon	*machine*	*friche*	*sèche*	
chirurgie	*mâchoire*	*gouache*	*tâche*	
chocolat	*méchant*			
chuintement	*sécheresse*			

REM — Devant les lettres *l* et *r*, on prononce le plus souvent [k] : *chlore, chrome.*
→ également le paragraphe 151, pour les mots d'origine grecque, où le *ch* se prononce [k] : *chœur, chorale, orchestre.*
— On rencontre également la graphie *ch* dans des noms propres : *Foch, Marrakech, Charles…*

105 *sch* ou *sh* comme kir*sch* ou *sh*illing

Le son [ʃ] peut être écrit au moyen de deux autres graphies complexes :
– *sch* indique une origine grecque (*schéma*) ou allemande (*schnaps*) ;
– *sh* indique une origine anglaise (*shérif*).

■ *sch*

INITIALE				MÉDIANE	FINALE
schéma	*schilling*	*schiste*	*schlitte*	.	*haschisch*
schème	*schisme*	*schisteux*	*schuss*	.	*kirsch*

■ *sh*

INITIALE	MÉDIANE	FINALE
shampooing	.	*flash*
shérif	.	*flush*
sherpa	.	*rush*
shetland	.	*smash*
shilling	.	
shoot	.	
shop (sex-)	.	

106 Tableau des graphies du son [ʃ]

Le [ʃ] de *cheminée*	INITIALE	MÉDIANE	DEVANT E FINAL	FINALE
ch	*cher*	*achat*	*miche*	*mat ch*
sch	*schéma*	.	.	*put sch*
sh	*shampooing*	.	.	*fla sh*

ÉCRIRE *p* et *b*   *poulpe, bison*

LES DIFFÉRENTES GRAPHIES

107 *p* comme *p*ain

La graphie *p* apparaît en toutes positions. Le son [p] s'écrit toujours *p* au début d'un mot, après les voyelles *é* et *i*, et après *am* et *im*.

INITIALE*	MÉDIANE*		DEVANT E FINAL*	FINALE*
page	amplificateur	impact	antilope	cap
pain	ampoule	impair	cape	cep
pape	apanage	imparfait	coupe	clip
parachute	apéritif	imperméable	dupe	croup
pipe	apiculture	lapin	écope	handicap
poule	apothéose	lapon	étape	ketchup
précis	épargne	opaque	principe	scalp
preuve	épée	opéra	soupe	vamp
province	épi	opinion	syncope	
publicité	épineux	superbe	type	

REM   Devant des mots commençant par une voyelle ou un *h*, le *p* final de *trop* et *beaucoup* s'entend dans la liaison : *trop heureux – beaucoup appris*. Dans les autres cas, ce *p* ne se prononce pas.

108 *pp* comme gra*pp*e

La graphie *pp* n'apparaît ni à l'initiale ni en finale. Le choix entre *p* et *pp* est souvent facilité par la connaissance de l'étymologie. On se reportera aux paragraphes 382 à 384, qui lui sont entièrement consacrés.

INITIALE	MÉDIANE		DEVANT E FINAL		FINALE
	appareil	hippique	échoppe	lippe	
	appartement	hippodrome	enveloppe	nappe	
	appât	hippopotame	frappe	nippe	
	appétit	mappemonde	grappe	steppe	
	apport	opposition	grippe	trappe	
	apprenti	oppression	houppe		
	approbation	supplice			
	approche	uppercut			
	appui				

109 *b* comme o*b*server

Parfois, le son [p] s'écrit *b* : en effet, dans certains cas, on écrit *b*, mais la consonne qui suit nous conduit à prononcer [p] (au lieu de [b]).

absent	*absoudre*	*observer*	*obtenir*
abside	*abstrait*	*obsession*	*obtention*
absolu	*absurde*	*obsidienne*	*obtus*
absorber	*obscur*	*obstiner*	*s'abstenir*

110 *b* ou *bb* comme *b*aguette ou a*bb*é

La graphie du son [b] pose moins de problèmes : on écrit en général *b* ; *bb* est en effet très rare. Cette graphie n'apparaît ni à l'initiale ni en finale et elle concerne essentiellement quelques termes religieux.

bb
abbaye
abbé
rabbin
sabbat
sabbatique

Le *b* est très rare en finale : il dénote le plus souvent des mots d'origine étrangère.

b
club
job
nabab
snob
toubib
tub

111 Tableau des graphies du son [p]

Le [p] de *papa*	INITIALE	MÉDIANE	DEVANT E FINAL	FINALE
p	*page*	*épée*	*antilope*	*vamp*
pp	.	*appétit*	*nappe*	.
b	.	*absurde*	.	.

112 Tableau des graphies du son [b]

Le [b] de *bébé*	INITIALE	MÉDIANE	FINALE
b	*bon*	*table*	*club*
bb	.	*rabbin*	.

LES RÉGULARITÉS*

113 Les mots en -*p*

Souvent, le *p* ne se prononce pas quand il se trouve à la fin d'un mot.
Il est possible de recourir à des mots de la même famille où le *p* s'entend pour déterminer l'orthographe correcte d'un mot.

champ → *champagne, champêtre*

coup → *couper, coupure*

drap → *draperie, drapier*

114 *app* au début des verbes

Tous les verbes qui commencent par le son [ap] s'écrivent *app*.

appeler
apprécier
appréhender
apprendre

⚠ *apaiser, apercevoir, apeurer, apitoyer, aplanir, aplatir, apostropher.*

ÉCRIRE *t* et *d*   *ta**r**te, dorade*

LES DIFFÉRENTES GRAPHIES

115 *t* comme pâ*t*é

Le son [t] est le plus souvent transcrit par la graphie simple *t*.
Elle est employée en toutes positions.

Pour les autres prononciations possibles de la lettre *t*, dans des mots comme
nation, partiel → paragraphe 181.

INITIALE*	MÉDIANE*	DEVANT E FINAL*	FINALE*
tabac	*atavisme*	*acolyte*	*accessit*
table	*atelier*	*aromate*	*août*
technique	*atonal*	*culbute*	*azimut*
téléphone	*butoir*	*dispute*	*bit*
terrain	*étanche*	*faillite*	*but*
tissu	*étymologie*	*gargote*	*coït*
trésor	*italique*	*note*	*déficit*
type	*itinéraire*	*otite*	*granit*
tzigane	*otage*	*pelote*	*mat*
	utopie	*savate*	*mazout*
		strate	*scorbut*
			scout
			transit

Le *t* en position finale est souvent associé à une autre consonne (*c, p* ou *s*).

abject	*compost*	*direct*	*impact*	*rapt*	*transept*
abrupt	*concept*	*distinct*	*intact*	*strict*	*trust*
ballast	*contact*	*est*	*intellect*	*test*	
compact	*correct*	*exact*	*ouest*	*toast*	

REM Le **t** final est très fréquemment muet.

agent	*debout*	*exempt*	*il mangeait*	*odorat*	*respect*
aspect	*écart*	*filet*	*irrespect*	*prompt*	*succinct*

→ aussi adverbes en -**ment**, paragraphes 76 à 122.

116   *tt* comme omele*tt*e

La graphie complexe *tt* transcrit aussi le son [t]. Elle se trouve généralement entre deux voyelles.

INITIALE	MÉDIANE		DEVANT E FINAL		FINALE
.	*acquittement*	*flatterie*	*assiette*	*crotte*	.
.	*attachant*	*flottaison*	*baguette*	*cueillette*	.
.	*attaque*	*guetteur*	*banquette*	*culotte*	.
.	*atteinte*	*guttural*	*biscotte*	*flotte*	.
.	*attente*	*lettre*	*butte*	*galette*	.
.	*attitude*	*littéral*	*carotte*	*natte*	.
.	*attraction*	*lutteur*	*chatte*	*omelette*	.
.	*attribut*	*netteté*	*clarinette.*	*toilette*	.
.	*ballottage*	*nettoyage*			.
.	*buttoir*	*pittoresque*			.
.	*confetti*	*quittance*			.
.	*égouttoir*	*sottise*			.

⚠ *watt* (finale).

117   *th* comme *th*on

La graphie *th* est souvent l'indice d'un mot d'origine grecque où apparaissait la lettre θ (thêta). Elle peut se trouver à l'initiale, en position médiane, plus rarement en finale.

INITIALE	MÉDIANE	FINALE
thalamus	*antipathie*	*bismuth*
thalassothérapie	*arithmétique*	*luth*
théâtre	*arthrite*	*math(s)*
thème	*athée*	*zénith*
théologie	*authentique*	
théorème	*esthétique*	
théorie	*kinésithérapie*	
thérapeute	*mathématique*	
thermal	*méthode*	
thermique	*mythique*	
thermomètre	*mythologie*	
thèse	*orthographe*	
thorax	*synthétique*	
thym		
thymus		
thyroïde		

118 *d* comme *d*orer

En ce qui concerne le son [d], la graphie *d* est de très loin la plus fréquente.
Elle apparaît en toutes positions mais elle est relativement rare en finale
absolue (*stand*). Le plus souvent, dans ce cas, elle est suivie d'un *e muet*
(*aide*...).

INITIALE		MÉDIANE	DEVANT E FINAL	FINALE
danse	distraction	attendre	acide	barmaid
dater	doigt	gladiateur	aide	caïd
débit	don	moderne	ambassade	celluloïd
débuter	dormir	ordonnance	bipède	fjord
découper	dresser	producteur	cascade	lad
demander	droite	radio	cupide	raid
dictée	dupliquer	ridicule	glande	rhodoïd
		studieux	humide	stand
		troubadour	raide	tweed
		verdoyant	valide	
		vidéo		
		vider		

On rencontre aussi la graphie *d* à la fin de certains noms propres d'origine
étrangère : *Bagdad, Conrad, Mohamed, Carlsbad*...

119 *dd* ou *ddh* comme pu*dd*ing ou Bou*ddh*a

La graphie *dd* est rare en français.

addition	additif	paddock
addenda	adduction	pudding
additionner	haddock	reddition

Le son [d] s'écrit *ddh* uniquement dans quelques mots d'origine étrangère.

Bouddha   *bouddhisme*

120 Tableau des graphies du son [t]

Le [t] de *tante*	INITIALE	MÉDIANE	DEVANT E FINAL	FINALE
t	tabac	otage	hâte	granit
tt	.	attente	chatte	.
th	thème	athée	.	zénith

121 Tableau des graphies du son [d]

Le [d] de *dodu*	INITIALE	MÉDIANE	DEVANT E FINAL	FINALE
d	*dans*	*radeau*	*soude*	*polaroïd*
dd	.	*addition*	.	.
ddh	.	*Bouddha*	.	.

LES RÉGULARITÉS*

122 Les mots en -*t*

On trouve un grand nombre de noms masculins ayant un *t* muet en finale, ainsi que des adjectifs et des adverbes. Les mots de la même famille peuvent être utiles pour détecter la présence d'un *t* muet.

achat	→	*acheter*	*emprunt* → *emprunter*
adroit	→	*adroite*	*exploit* → *exploiter*
affront	→	*affronter*	*format* → *formation*
amont	→	*monter*	*front* → *frontal*
argot	→	*argotique*	*institut* → *institution*
candidat	→	*candidature*	*lauréat* → *lauréate*
chahut	→	*chahuter*	*lit* → *literie*
circuit	→	*court-circuiter*	*magistrat* → *magistrature*
climat	→	*climatisation*	*nuit* → *nocturne*
complot	→	*comploter*	*plat* → *plate*
conflit	→	*conflictuel*	*profit* → *profiter*
crédit	→	*créditer, créditeur*	*rabot* → *raboter*
débit	→	*débiter, débiteur*	*saut* → *sauter*
début	→	*débuter*	*toit* → *toiture*
défaut	→	*défectueux*	*tout* → *toute*
égout	→	*égoutter*	*tricot* → *tricoter*

Lorsque les mots de la même famille ou la forme du féminin ne donnent pas d'indication, il faut se reporter au dictionnaire.

REM
- La *nuit*, la *mort* sont des noms féminins terminés par *t*.
- Tous les adverbes en -**ment**, les participes présents, les gérondifs sont terminés par *t* : *assurément, carrément, couramment, mangeant, plaçant, en riant, en réfléchissant*…

123 Les mots en -*d*

Bien que ce soit moins fréquent, on trouve cependant un *d* muet en finale, aussi bien après une voyelle qu'après les consonnes *n* et *r*.

voyelle + *d*	nd	rd	
crapaud	bond	accord	hasard
nid	différend	bord	lézard
nœud	friand	brouillard	lourd
pied	gond	canard	record
réchaud		dossard	sourd
		épinard	standard

Il est également possible, dans ce cas, d'avoir recours à un mot de la même famille pour s'assurer de la présence du *d* muet final.

accord	→	accorder
bond	→	bondir
hasard	→	hasarder
nid	→	nidation

ÉCRIRE *f* *filet*

LES DIFFÉRENTES GRAPHIES

124 *f* comme gau*f*re

La graphie simple *f* peut se trouver en toutes positions.

INITIALE*	MÉDIANE*	DEVANT E FINAL*	FINALE*
fantassin	africain	agrafe	apéritif
fantastique	balafre	carafe	bœuf
fantôme	défaite	esbroufe	chef
farine	défunt	girafe	massif
félin	gaufre	parafe	neuf
femme	gifle		œuf
fifre	infâme		relief
filtre	plafond		soif
fin	profond		tarif
fou	rafle		veuf

REM   La graphie *f* apparaît à la fin des nombreux adjectifs en *-tif* : *auditif, définitif, fugitif, positif...*

125 *ff* comme tru*ff*e

La graphie double *ff* n'apparaît jamais à l'initiale, et très rarement en finale (dans quelques mots d'origine anglaise ou allemande).

INITIALE	MÉDIANE		DEVANT E FINAL		FINALE
.	affaire	diffus	bouffe	gaffe	bluff
.	affection	effacement	chauffe	griffe	skiff
.	affluent	effet	coiffe	touffe	staff
.	affreux	effort	étoffe	truffe	
.	affût	gouffre			
.	buffle	offense			
.	chauffage	office			
.	chiffon	souffle			
.	chiffre	souffrance			
.	coffre	suffisant			

REM   On peut écrire *skif* ou *skiff*.

126 *ph* comme am*ph*ore

La graphie *ph* provient de l'alphabet grec, et apparaît dans de nombreux mots d'origine savante. → Racines grecques et latines, paragraphe 382.

INITIALE	MÉDIANE	DEVANT E FINAL	FINALE
phalange	amphibie	amorphe	.
pharmacie	amphore	apocryphe	.
phase	aphone	catastrophe	.
phénomène	bibliographie	géographe	.
philanthrope	doryphore	orthographe	.
philatélie	emphase	paragraphe	.
philosophie	morphologie	paraphe	.
phonétique	ophtalmie	strophe	.
phrase	siphon	triomphe	.
physique	typhon		.

REM   On admet deux orthographes : *fantasme* ou *phantasme*, *parafe* ou *paraphe*.

127 Tableau des graphies du son [f]

Le [f] de *faim*	INITIALE	MÉDIANE	DEVANT E FINAL	FINALE
f	*fantassin*	*profond*	*agrafe*	*œuf*
ff	.	*affaire*	*étoffe*	*bluff*
ph	*pharmacie*	*aphone*	*triomphe*	.

LES RÉGULARITÉS*

128 *aff* au début des mots

Tous les mots qui commencent par le son [af] s'écrivent *aff*.

affamer
affectation
afficher
affluer
affront
affût

⚠ *afghan*
afin
aflatoxine (**vocabulaire spécialisé**)
afocal (**vocabulaire spécialisé**)
Afrique (**et les mots de la même famille**)

129 *eff* au début des mots

Tous les mots qui commencent par le son [ef] s'écrivent *eff*.

effacer
effet
effilé
efflanqué
effleurer
effrayer

⚠ *éfaufiler* (rare), *éfrit*.

130 *off* au début des mots

Tous les mots qui commencent par le son [of] s'écrivent *off*.

offense
officiel
offrir
offset

ÉCRIRE *g* *régal*

LES DIFFÉRENTES GRAPHIES

131 *g* comme *g*lace

Le son [g] peut s'écrire avec la seule lettre *g* devant *a, o, u, l, r*.

INITIALE*	MÉDIANE*	FINALE*
gadget	agrandir	camping
gai	agrégat	caravaning
galop	agrégé	gag
ganglion	agression	gang
garage	agrume	gong
glace	bagage	grog
glaive	bagarre	iceberg
glu	cargo	legs
goal	congrès	parking
gond	dégoûter	ping-pong
goût	lagon	smog
gouverner	légume	zigzag
gras	magot	
grave	onglet	
grotte	ragoût	
guttural	régal	
	règlement	
	régulier	

REM On rencontre aussi *g* devant *m* ou *n* dans quelques mots.

augmenter
diagnostic
magma
segment
stagner

Le son [g] ne s'écrit jamais *g* devant *e* ou *i*. Il s'écrit alors *gue, gui* : *guérir, guignol*.

132 *gu* comme fi*gu*e

La graphie complexe *gu* apparaît devant *e, ê, é, è, i, y*. Alors que *g* seul est rare en finale, on trouve fréquemment *-gue* dans cette position. Le *e* est alors rarement prononcé : *bague* [bag], *algue* [alg].

INITIALE		MÉDIANE	DEVANT E FINAL*	FINALE
gué	*gui*	*aiguiser*	*analogue*	.
guenille	*guichet*	*baguette*	*bègue*	.
guépard	*guide*	*figuier*	*dingue*	.
guêpe	*guidon*		*drague*	.
guère	*guignol*		*drogue*	.
guérilla	*guimbarde*		*fatigue*	.
guérison	*guingois*		*figue*	.
guerre	*guirlande*		*langue*	.
gueule	*guise*		*ligue*	.
gueux	*guitare*		*seringue*	.
			sociologue	.
			vague	.

133 *gg* comme jo*gg*ing

La graphie double *gg* est fort rare.

agglomération (et les mots de la même famille)
agglutiné (et les mots de la même famille)
aggravation (et les mots de la même famille)
buggy (origine anglaise, prononcé [bygi] ou [bœgi])

134 *gh* comme spa*gh*etti

Dans quelques mots d'origine étrangère, on rencontre la graphie *gh*.

ghesha ou geisha (japonais)
ghetto (italien)
spaghetti (italien)

135 *c* comme se*c*ond

Dans certains mots, il arrive que le *c* se prononce [g].

eczéma
second
secondaire

136 Tableau des graphies du son [g]

Le [g] de *gant*	INITIALE	MÉDIANE	DEVANT E FINAL	FINALE
g	*gai*	*agrandir*	.	*gag*
gu	*gué*	*aiguiser*	*vague*	.
gg	.	*aggraver*	.	.
gh	*ghetto*	*spaghetti*	.	.
c	.	*second*	.	.

LES RÉGULARITÉS*

137 Le féminin des adjectifs terminés par *-gu*

Les adjectifs terminés par *-gu* au masculin s'écrivent *guë* au féminin.
La présence du tréma (¨) empêche la fusion de *gu* et *e* en *gue*.

aigu → *aiguë*
ambigu → *ambiguë*
contigu → *contiguë*
exigu → *exiguë*

138 Les participes présents en *-guant* et les adjectifs verbaux en *-gant*

Les adjectifs verbaux sont des participes présents employés comme adjectifs,
mais leur orthographe peut différer. Ainsi, les verbes en *-guer* ont
des participes présents en *-guant* et des adjectifs verbaux en *-gant*.

PARTICIPE PRÉSENT	ADJECTIF VERBAL
extravaguant	*extravagant*
fatiguant	*fatigant*
naviguant	*navigant*

ÉCRIRE *gn* *agneau*

LES DIFFÉRENTES GRAPHIES

139 *gn* comme champi*gn*on

Cette graphie n'apparaît que rarement à l'initiale et jamais en finale. C'est en position médiane qu'on la rencontre le plus souvent. Devant *e muet* final, seule cette graphie *gn* peut transcrire le son [ɲ].

INITIALE*	MÉDIANE*		DEVANT E FINAL*	FINALE*
gnangnan	agneau	égratignure	campagne	.
gnocchi	araignée	espagnol	champagne	.
gnon	assignable	gagnant	compagne	.
	baigneur	montagnard	montagne	.
	campagnard	poignée	pagne	.
	champignon	rognure		.
	cognac	seigneur		
	compagnie	signal		.
	compagnon	vignoble		.
	dédaigneux			.

⚠ Le son [ɲ] s'écrit *gni* dans *châtaignier*.

REM — À cette liste, il faut ajouter la conjugaison :

- des verbes en -*gner*
  j'accompagne
  nous accompagnions
  ils ont accompagné

- des verbes en -*eindre*
  ils feignirent
  feignant

- des verbes en -*aindre*
  vous craignez
  craignant

- des verbes en -*oindre*
  nous joignions
  vous joignez
  joignant

— On rencontre également la graphie *gn* dans certains noms propres : *Perpignan*, *Espagne*.

140 *ni* comme bana*ni*er

Cette graphie n'apparaît que rarement à l'initiale et jamais en finale. C'est en position médiane qu'on la rencontre le plus souvent.

INITIALE	MÉDIANE				FINALE
niais	aluminium	colonial	harmonieux	opiniâtre	.
nièce	ammoniac	communiant	inconvénient	opinion	.
nielle	arménien	dernière	magasinier	panier	.
	bananier	douanier	manioc	pécuniaire	.
	bannière	grenier	millionième	réunion	.

REM À cette liste, il faut ajouter la conjugaison des verbes en -**nier** (*communier*) : *ils communiaient, j'ai communié…*

141 Tableau des graphies du son [ɲ]

Le [ɲ] de *montagne*	INITIALE	MÉDIANE	DEVANT E FINAL	FINALE
gn	gnon	araignée	champagne	.
ni	nièce	opinion	.	.

ÉCRIRE *j*   *jambon*

LES DIFFÉRENTES GRAPHIES

142   *j* comme *jus*

Le son [ʒ] peut être écrit *j* devant toutes les voyelles. On trouve néanmoins rarement *j* devant *i*.

INITIALE*			MÉDIANE*		FINALE*
jade	japonais	jeune	abject	conjonction	injure
jadis	jaune	jockey	adjectif	conjuration	objet
jaloux	jésuite	joie	adjoint	enjeu	sujet
jambon	jeu	jurer	bijou	injection	

— Dans la plupart des mots d'origine anglaise, *j* se prononce souvent [dʒ].

jack	jean	jerk	jingle	jumping
jazz	jeep	jet	jogging	

— La consonne *g* se prononce [dʒ] dans *gin*.

— La double consonne *gg* se prononce [gʒ] : *suggestif, suggestion, suggestivité*.

143   *g* comme *frangipane*

Le son [ʒ] peut s'écrire *g* devant *e, i* et *y*. Cette graphie est aussi employée pour transcrire le son [ʒ] que la graphie *j*.

INITIALE	MÉDIANE		DEVANT E FINAL*		FINALE
géant	aborigène	indigène	arpège	manège	
gendarme	angine	misogyne	badinage	personnage	
gêne	aubergine	origine	beige	piège	
gentil	engelure	oxygène	carnage	prestige	
gibet	frangine	pathogène	chasse-neige	privilège	
gibier	hétérogène	sans-gêne	collège	siège	
gifle	homogène	surgeler	cortège	solfège	
gigot	hydrogène		dépannage	stratège	
gilet			espionnage	tige	
gitan			lainage	vertige	
gîte			litige	voisinage	
givre					

144 *ge* comme estur*ge*on

Pour obtenir le son [ʒ] devant les voyelles *a*, *o*, *u*, la lettre *g* doit être suivie de *e*.

INITIALE	MÉDIANE				FINALE
geai	*bougeoir*	*esturgeon*	*geôle*	*plongeon*	.
geôlier	*bourgeon*	*gageure*	*pigeon*		.

145 Tableau des graphies du son [ʒ]

Le [ʒ] de *jeu*	INITIALE	MÉDIANE	DEVANT E FINAL	FINALE
j	*jade*	*objet*	.	.
g	*géant*	*origine*	*âge*	.
ge	*geai*	*pigeon*	.	.

LES RÉGULARITÉS*

146 Les participes présents en *-geant* et les adjectifs verbaux en *-gent*

Les participes présents des verbes en *-ger* se terminent par *-geant* ; les adjectifs verbaux (participes présents employés comme adjectifs) se terminent par *-gent*.

PARTICIPE PRÉSENT	ADJECTIF VERBAL
convergeant	*convergent*
divergeant	*divergent*
négligeant	*négligent*

ÉCRIRE *C* *cacao*

son [ks] → paragraphes 184

LES DIFFÉRENTES GRAPHIES

147 *c* comme *c*arotte

Le son [k] s'écrit *c* en toutes positions.

INITIALE*	MÉDIANE*	FINALE*
cabine	acabit	avec
cacao	acacia	chic
cadeau	acajou	choc
capitale	acoustique	fisc
coca	bicorne	foc
colère	écorce	lac
combat	oculaire	pic
cube	sacoche	plastic
culotte	vacarme	trafic

REM   Le son [k] ne s'écrit jamais *c* devant *e* et *i*. Il peut s'écrire *qu* ou *cu* : *quelqu'un*, *cueillir*.

148 *qu* comme *qu*alité

Très fréquemment, le son [k] s'écrit *qu*.

INITIALE	MÉDIANE	DEVANT E FINAL*	FINALE
quai	antiquaire	bibliothèque	.
qualité	attaquant	coque	.
quand	briquet	discothèque	.
quelque	délinquant	disque	.
question	mousquetaire	évêque	.
qui	paquet	laque	.
quoi	piquant	phoque	.
quotidien	remarquable	pique	.
quotient	trafiquant	plastique	.

REM   La lettre *q* est toujours suivie de *u*, sauf en finale : *cinq, coq*.

149 cc comme succursale

La double consonne *cc* n'apparaît qu'à l'intérieur des mots. Elle peut être suivie de *a, o, u, l, r.*

accablement
accord
accrocher
baccalauréat
occasion
occlusive
saccade
succursale

REM Les graphies *cce* et *cci* se prononcent [ksə] et [ksi].

accent
accès
coccinelle
succédané
succès
succinct
succion
vaccin

150 k comme moka

On trouve la lettre *k* dans un nombre restreint de mots d'origine étrangère.

INITIALE		MÉDIANE	FINALE
kaki	*kilo*	*ankylose*	*anorak*
kangourou	*kimono*	*moka*	*batik*
képi	*kiosque*		*look*
kermesse	*kyste*		*souk*

151 ch comme orchidée

La graphie *ch* est souvent l'indice de l'origine étrangère d'un mot (grecque le plus souvent).

INITIALE		MÉDIANE	FINALE
chaos	*chorale*	*archange*	*krach* (allemand)
chlore	*chrome*	*écho*	*loch* (écossais)
choléra	*chrysalide*	*orchestre*	*mach* (autrichien)
cholestérol	*chrysanthème*	*orchidée*	
		psychiatre	

152 *cqu* ou *cch* comme a*cqu*itter ou ba*cch*anale

Ce sont des graphies très rares.

cqu
*acquérir (et les mots de la même famille:
acquisition, acquis)*
acquêt
*acquitter (et les mots de la même famille:
acquittement, acquit...)*
becqueter
grecque
jacquard
socquette

cch
bacchanale
bacchante

153 *ck* comme bifte*ck*

Le groupe *ck* caractérise des mots d'origine étrangère, souvent anglaise, mais aussi russe, allemande, suédoise, asiatique...

INITIALE	MÉDIANE	FINALE
	cocker	*bifteck*
	cockpit	*bock* (allemand)
	cocktail	*brick* (arabe)
	jockey	*kopeck* (russe)
	nickel (suédois)	*stick*
	teckel (allemand)	*stock*
	ticket	*teck* (malabar)

154 Tableau des graphies du son [k]

Le [k] de *kaki*	INITIALE	MÉDIANE	DEVANT E FINAL	FINALE
c	*cabine*	*sacoche*		*lac*
cc		*occasion*		
qu	*quand*	*briquet*	*coque*	
k	*kilo*	*moka*		*anorak*
ch	*cholestérol*	*archange*		*krach*
cqu		*becqueter*		
ck		*cocktail*		*brick*

155 *acc* ou *ac* au début des mots

Les mots qui commencent par les sons [ak] ou [aks] s'écrivent souvent *acc*.

accabler	*accessible*	*accommoder*	*accoutumance*
accalmie	*accession*	*accompagner*	*accoutumer*
accaparer	*accessit*	*accompli*	*accroc*
accastillage	*accessoire*	*accord*	*accroire*
accélérer	*accident*	*accort*	*accroître*
accent	*acclamation*	*accostage*	*accroupi*
accepter	*acclimatation*	*accoster*	*accueil*
acception	*accointance*	*accouchement*	*accumuler*
accès	*accolade*	*accoudoir*	*accuser*

⚠ Il y a un certain nombre d'exceptions. En voici quelques-unes :

acabit	*acompte*
acacia	*acoustique*
académie	*acre*
acajou	*acrimonie*
acanthe	*acrobate*
acariâtre	*acuité*
acolyte	*acuponcture*

156 *occ* ou *oc* au début des mots

Le plus souvent, les mots qui commencent par les sons [ɔk] ou [ɔks] s'écrivent *occ*.

occasion (et les mots de la même famille)
occident (et les mots de la même famille)
occipital
occiput
occitan
occlusion (et les mots de la même famille)
occulter (et les mots de la même famille)
occuper (et les mots de la même famille)
occurrence (et les mots de la même famille)

⚠ *ocarina*
octave (et les mots de la famille de huit : *octobre, octet, octane, octogénaire...*)
octroi
oculaire (et les mots de la famille d'œil : *oculiste, oculus, oculariste...*)

157 *ec* ou *ecc* au début des mots

La plupart des mots qui commencent par le son [ek] s'écrivent *ec*.

écaille
écarlate
écarquiller
écarter

⚠ *ecchymose, ecclésiastique.*

158 Les participes présents en *-quant* et les adjectifs verbaux
en *-cant*

Les adjectifs verbaux sont des participes présents employés comme adjectifs ;
toutefois leur orthographe peut être différente. Ainsi, les verbes en *-quer*
ont des participes présents en *-quant* et des adjectifs verbaux en *-cant*.

PARTICIPE PRÉSENT	ADJECTIF VERBAL
communiquant	*communicant*
provoquant	*provocant*
suffoquant	*suffocant*
vaquant	*vacant*

REM   Il faut ajouter à cette liste le verbe *convaincre : convainquant, convaincant*

ÉCRIRE *1*   *l*ait

LES DIFFÉRENTES GRAPHIES

159 *l* comme o*l*ive

On trouve la graphie simple *l* en toutes positions.

INITIALE*		MÉDIANE*		DEVANT E FINAL*		FINALE*	
là-bas	légal	balai	olive	alvéole	pétale	alcool	cumul
laine	léger	coloris	palier	cymbale	rafale	bol	égal
lait	lettre	couleur	palissade	domicile	stérile	calcul	journal
langage	liberté	douleur	pelure	fiole	timbale	cil	naturel
langue	lieu	hélas	relation	fossile	ustensile	civil	pluriel
lecture	ligne	molaire		gaule			

REM   La consonne *l* ne se prononce pas à la fin de quelques mots : fusi*l*, genti*l*, outi*l*.

160 *ll* comme co*ll*ation

La graphie double *ll* n'apparaît qu'à l'intérieur des mots et en finale, dans de rares mots d'origine étrangère.

INITIALE	MÉDIANE		DEVANT E FINAL		FINALE
.	alliance	colloque	balle	malle	atoll
.	allitération	fallacieux	bulle	pupille (de	basket-ball
.	allô !	pellicule	colle	la nation)	football
.	belliqueux	pollution	corolle	stalle	hall
.	cellier	sollicitation	dalle	tranquille	music-hall
.	cellule	tellurique	halle	vaudeville	pull
.	collation		idylle	ville	troll
.			intervalle		volley-ball

REM   – La graphie *ll* est très rare à l'initiale : *lloyd* (origine galloise).
– La plupart des mots en -*ille* se prononcent [ij] : *ville*. Seuls quelques mots se prononcent [il] : *bacille*, *mille*, *tranquille*, *ville* ⟶ paragraphe 98.

161 Tableau des graphies du son [l]

Le [l] de *loup*	INITIALE	MÉDIANE	DEVANT E FINAL	FINALE
l	*lune*	*hélas*	*pétale*	*nul*
ll	*lloyd*	*alliance*	*folle*	*pull*

LES RÉGULARITÉS*

162 Les mots en *-ule* ou *-ul*

Presque tous les noms terminés par le son [yl] s'écrivent avec la graphie *ule*.

cellule
crépuscule
libellule
scrupule

⚠ *calcul, consul, recul*
bulle, tulle
pull

ÉCRIRE *m* et *n* *co**m**estible, **n**avet*

LES DIFFÉRENTES GRAPHIES

163 *m* comme *m*ystère

Le son [m] s'écrit *m* en toute position. Cependant, on rencontre rarement un *m* en finale absolue.

INITIALE*	MÉDIANE*	DEVANT E FINAL*	FINALE*
magasin	amertume	axiome	album
mai	ami	brume	idem
maillot	coma	centime	islam
main	comestible	costume	item
malheur	comité	crime	macadam
mélange	émanation	drame	pogrom
miracle	hématie	écume	requiem
modèle	hémisphère	escrime	tandem
musique	image	madame	ultimatum
mystère	imitation		
	séminaire		

164 *mm* comme po*mm*e

La consonne double *mm* est fréquente à l'intérieur des mots et devant un *e muet* final. Elle n'apparaît jamais à l'initiale, et rarement en finale.

INITIALE	MÉDIANE		DEVANT E FINAL	FINALE
.	commandement	hammam	bonhomme	.
.	commentaire	immanence	dilemme	.
.	commère	immédiat	gemme	.
.	commis	immergé	gentilhomme	.
.	commissaire	immeuble	gramme	.
.	commission	immigration	homme	.
.	commissure	immobile	pomme	.
.	commode	mammaire	prud'homme	.
.	dommage	mammifère	somme	.
.	emménagement			.

REM Dans le mot *automne*, le *m* n'est pas prononcé, alors qu'on l'entend dans l'adjectif *automnal*.

165 *n* comme ba*n*a*n*e

Le son [n] s'écrit *n* en toute position, mais il est rare de le rencontrer en finale absolue.

INITIALE	MÉDIANE	DEVANT E FINAL	FINALE
nage	*anodin*	*angine*	*abdomen*
naïf	*anomalie*	*arcane*	*amen*
naissance	*banal*	*avoine*	*dolmen*
nappe	*canal*	*cabine*	*epsilon*
natif	*énergie*	*carbone*	*foehn*
néant	*énormité*	*douane*	*hymen*
négociant	*finance*	*fortune*	*omicron*
neuf	*romanesque*	*prune*	*spécimen*
nid	*volcanique*	*trombone*	*upsilon*
nouveau	*zénith*	*zone*	

166 *nn* comme ma*nn*e

La consonne double *nn* est fréquente à l'intérieur des mots et devant un *e muet* final. Elle n'apparaît jamais à l'initiale, ni en finale.

INITIALE	MÉDIANE		DEVANT E FINAL	FINALE
.	*abonnement*	*connivence*	*antenne*	.
.	*anneau*	*ennemi*	*antienne*	.
.	*année*	*fennec*	*bonne*	.
.	*annexe*	*finnois*	*canne*	.
.	*anniversaire*	*honni*	*colonne*	.
.	*annonce*	*inné*	*donne*	.
.	*annulation*	*innocent*	*maldonne*	.
.	*bonnet*	*innombrable*	*panne*	.
.	*connaissance*	*mannequin*	*penne*	.
.	*connexion*	*tennis*		.

On ajoutera à cette liste les féminins des adjectifs et des noms en *-enne* (*parisienne*) et en *-onne* (*patronne*).

167 Tableau des graphies du son [m]

Le [m] de *main*	INITIALE	MÉDIANE	DEVANT E FINAL	FINALE
m	*mai*	*ami*	*rame*	*album*
mm	.	*commenter*	*gramme*	.

Tableau des graphies du son [n]

Le [n] de *navarin*	INITIALE	MÉDIANE	DEVANT E FINAL	FINALE
n	*naïf*	*animal*	*fortune*	*dolmen*
nn	.	*mannequin*	*antenne*	.

LES RÉGULARITÉS*

169 *m/mm, n/nn* dans les mots de la même famille

Dans certains mots de la même famille, on observe une alternance des deux graphies *m* ou *mm* et *n* ou *nn*.

m/mm
bonhomie — bonhomme
féminin — femme
homicide — homme
nomination — renommée

n/nn
cantonal — cantonnier
consonance — consonne
donation — donneur
honorable — honnête
honoraire — honneur
millionième — millionnaire
monétaire — monnaie
patronat — patronnesse
rationalité — rationnel
sonore — sonnerie

REM   On admet *bonhommie*.

ÉCRIRE *r* *r*écolte

LES DIFFÉRENTES GRAPHIES

170 *r* comme cavia*r*

On trouve la graphie simple *r* en toutes positions.

INITIALE*	MÉDIANE*	DEVANT E FINAL*	FINALE*		
rabais	béret	anaphore	amer	enfer	obscur
racine	carotte	augure	autour	essor	pair
radio	direct	avare	avatar	éther	plaisir
rail	féroce	bordure	azur	fémur	porter
rang	hérédité	carnivore	bar	fier	pourtour
récit	intérêt	empire	bazar	flair	quatuor
récolte	ironie	heure	butor	four	revolver
risque	parole	sourire	cancer	futur	saur
rivage	zéro		car	hangar	séjour
roue			castor	hier	soupir
rue			cauchemar	hiver	stentor
rythme			caviar	impair	sur
			chair	labour	sûr
			cher	loisir	tambour
			clair	major	ténor
			contour	mer	tir
			corridor	millibar	toréador
			décor	mur	trésor
			désir	mûr	vair
			détour	nectar	vautour
			éclair	nénuphar	ver

Pour les mots en -*re*, -*aire*, -*oire* ⟶ paragraphes 221 et 222.

171 *rr* comme beu*rr*e

La graphie *rr* apparaît à l'intérieur des mots et devant un *e muet* final.

INITIALE	MÉDIANE		DEVANT E FINAL	FINALE
·	amarrage	fourrure	amarre	·
·	arrangement	horrible	bagarre	·
·	arrière	irrespect	beurre	·
·	arrosoir	irritable	bizarre	·
·	carrière	lorrain	bourre	·
·	correct	narration	escarre	·
·	corrélatif	perruche	leurre	·
·	corrida	sierra	serre	·
·	débarras	surrénal	tintamarre	·
·	derrière	terrible		·
·	embarras	torrent		·
·	erreur	torride		·
·	ferraille	verrou		·
·	fourré			·

172 *rh* ou *rrh* comme *rh*ubarbe ou ci*rrh*ose

Les graphies *rh* et *rrh*, fort rares, apparaissent dans des mots d'origine grecque.

INITIALE		MÉDIANE	DEVANT E FINAL	FINALE
rhapsodie	rhizome	cirrhose	catarrhe	·
rhénan	rhodanien			·
rhéostat	rhododendron			·
rhésus	rhubarbe			·
rhétorique	rhum			·
rhinite	rhumatisme			·
rhinocéros	rhume			·

173 Tableau des graphies du son [ʀ]

Le [ʀ] de *roue*	INITIALE	MÉDIANE	DEVANT E FINAL	FINALE
r	radis	truite	carnivore	four
rr	·	fourré	beurre	·
rh, rrh	rhum	cirrhose	catarrhe	·

LES RÉGULARITÉS*

174 Les mots en -*eur*

La majorité des noms (masculins ou féminins) terminés par le son [øʀ] s'écrivent -*eur*.

MASCULIN		FÉMININ	
ajusteur	percepteur	fraîcheur	odeur
assureur	radiateur	frayeur	pesanteur
auteur	remorqueur	fureur	peur
bonheur	sauveur	grosseur	primeur
compteur	sculpteur	horreur	rigueur
échangeur	tailleur	lenteur	stupeur
écouteur	tourneur	lueur	vigueur
malheur	vecteur		

⚠ – *Chœur, cœur, rancœur, sœur.*
– *Beurre, leurre, heure, demeure* **et** *prieure.*

Il existe également des adjectifs en -*eur* (*antérieur, majeur, mineur, postérieur, supérieur...*) ; leur féminin s'écrit en -*eure* (*antérieure, supérieure...*).
On consultera le *Bescherelle conjugaison* à propos des verbes en -*eurer*, -*eurrer* (*je pleure, il demeure, ils se leurrent*) → aussi le **verbe** mourir (*je meurs, qu'il meure*).

175 Les noms masculins en -*oir* et en -*oire*

La plupart des noms masculins terminés par le son [waʀ] s'écrivent -*oir*.

arrosoir	espoir
couloir	miroir
dépotoir	peignoir
entonnoir	trottoir

Attention cependant à la finale -(*t*)*oire*, qu'on trouve aussi pour des noms masculins. → paragraphes 221 et 222, consacrés au *e muet* final.

audi toire	purgatoire
conservatoire	réfectoire
laboratoire	répertoire
observatoire	territoire

176 Les mots en -*rd*, -*rt*, -*rs*

Un certain nombre de mots se terminent par *r* + *consonne muette* (que l'on n'entend pas).

rd	*rt*	*rs*
accord	*art*	*alors*
brouillard	*concert*	*discours*
lourd	*confort*	*divers*

Des mots de la même famille peuvent être utiles pour détecter la présence d'une lettre muette.

accord	→	*accorder*
art	→	*artiste*
concert	→	*concertiste*
confort	→	*confortable*
divers	→	*diversifier*
lourd	→	*alourdir*

ÉCRIRE *S* *saucisse*

LES DIFFÉRENTES GRAPHIES

177 *s* comme maï*s*

On rencontre *s* à l'initiale, en médiane, devant *e muet* final, après une
consonne (*n, l, r, b*), ou en finale.

INITIALE*	MÉDIANE*	DEVANT E FINAL*	FINALE*	
salade	*absolu*	*bourse*	*bus*	*myosotis*
sale	*aseptique*	*course*	*cactus*	*oasis*
soleil	*boursier*	*dépense*	*campus*	*palmarès*
soupçon	*chanson*	*offense*	*contresens*	*processus*
sourd	*obstacle*	*panse*	*cosinus*	*pubis*
	parasol	*réponse*	*fœtus*	*sens*
	vraisemblable		*maïs*	*sinus*
			métis	*stimulus*

REM — *s* à la fin d'un mot se prononce toujours [s].

— *s* entre deux voyelles transcrit le son [z], sauf dans le cas de certains mots
composés où *s* se prononce [s] (*parasol*, *polysémie*).

178 *ss* comme écrevi*ss*e

Le son [s] peut également s'écrire *ss*. On trouve cette graphie en position
médiane, entre deux voyelles (*boisson*), mais rarement en finale.

INITIALE	MÉDIANE	DEVANT E FINAL			FINALE
.	*boisson*	*adresse*	*crevasse*	*impasse*	*gauss*
.	*esseulé*	*baisse*	*détresse*	*liasse*	*loess* (all.)
.	*essor*	*bécasse*	*écrevisse*	*pelisse*	*schlass* (all., ang.)
.	*issue*	*bonasse*	*encaisse*	*pousse*	*schuss* (all.)
.	*osseux*	*brasse*	*esquisse*	*russe*	*stress*
.	*tissu*	*brosse*	*fausse*	*saucisse*	
.		*brousse*	*gentillesse*	*secousse*	
.		*colosse*	*graisse*	*trousse*	

REM La graphie *sse* à la fin des mots alterne avec la graphie *ce* → paragraphe 179.

179   c ou ç comme vorace ou glaçon

On rencontre la graphie c devant les voyelles e, i et y et la graphie ç devant les voyelles a, o, u, à l'intérieur des mots uniquement.
Une seule exception : ça.

- **c**

INITIALE	MÉDIANE	DEVANT E FINAL			FINALE
ceci	concert	appendice	Grèce	pouce	
cédille	farci	astuce	indice	précoce	
cigare	merci	atroce	Lucrèce	préface	
cycle	océan	audace	négoce	préjudice	
cygne	social	bénéfice	nièce	puce	
cymbale		caprice	notice	race	
		douce	once	sagace	
		efficace	pince	sauce	
		féroce	ponce	vorace	

- **ç**

INITIALE	MÉDIANE			FINALE
ça	façade	leçon	tronçon	
	façon	maçon		

180   sc comme piscine

Le son [s] peut également s'écrire sc, devant les voyelles e, i et y.

INITIALE		MÉDIANE		FINALE
scélérat	science	adolescent	faisceau	
sceller	scier	conscient	fascicule	
scène	scinder	convalescent	irascible	
sceptique	scintiller	descendance	piscine	
sceptre	sciure	discipline	plébiscite	
sciatique	scythe			

181   t comme démocratie

Le son [s] peut également s'écrire t, devant la voyelle i uniquement.

INITIALE	MÉDIANE			FINALE
	action	confidentiel	inertie	
	argutie	démocratie	minutie	
	aristocratie	diplomatie	péripétie	
	attention	facétie	tertiaire	
	calvitie	idiotie	vénitien	

182   *CC, XC* ou *X* comme su*CC*ès, e*XC*ellent ou gala*X*ie

La combinaison [ks] peut s'écrire *CC, XC, X* et, rarement, *CS*.

CC	*XC*
accès	*excellent*
buccin	*excès*
succès	
succinct	
vaccin	

X	*CS*
apoplexie	*tocsin*
axe	
galaxie	
orthodoxie	
prophylaxie	
saxon	
vexant	

REM   Le *X* se prononce [s] dans *dix* et *six*, s'ils ne sont pas suivis d'un mot.

Mais s'ils sont suivis d'un mot commençant par une voyelle, *X* se prononce [z].

di͟x enfants (prononcé [z])

si͟x œufs (prononcé [z])

183   Tableau des graphies du son [s]

Le [s] de *seau*	INITIALE	MÉDIANE	DEVANT E FINAL	FINALE
s	*soleil*	*chanson*	*dépense*	*iris*
ss	.	*boisson*	*presse*	*schuss*
c	*cil*	*concert*	*délice*	.
ç	*ça*	*glaçon*	.	.
sc	*science*	*adolescent*	.	.
t	.	*portion*	.	.

184   Tableau des graphies du son [ks]

Le [ks] de *saxon*	INITIALE	MÉDIANE	FINALE
cc	.	*accès*	.
xc	.	*excellent*	.
x	.	*apoplexie*	.
cs	.	*tocsin*	.

185 *â* ou *as*, *ê* ou *es*, *î* ou *is*, *ô* ou *os* dans les mots d'une même famille

Certains mots appartenant à la même famille peuvent présenter
une alternance de voyelle + accent circonflexe et de voyelle + *s*.

On peut ainsi rencontrer, dans une même famille de mots, des mots avec
â (bâton) et des mots avec *as* (bastonner), avec *ê* (ancêtre) et *es* (ancestral),
avec *î* (épître) et *is* (épistolaire), avec *ô* (hôtel) et *os* (hostellerie).

En voici quelques exemples :

arrêt — arrestation
bête — bestial
fenêtre — défenestration
fête — festivité
forêt — forestier
hôpital — hospitalité
tête — détester
vêtement — vestimentaire

REM

– Cette alternance se traduit parfois par un changement de voyelle : *goût, gustatif.*

– L'accent circonflexe marque un *s* qui a disparu de la prononciation dans
la plupart des cas. Le *s* est donc la trace de cet ancien état de la langue.

ÉCRIRE Z *rizière*

LES DIFFÉRENTES GRAPHIES

186 z comme luzerne

Au son [z] correspond la graphie z en toutes positions.

INITIALE*	MÉDIANE*		DEVANT E FINAL*	FINALE*
zèbre	alizé	dizaine	bronze	Berlioz
zénith	amazone	gazelle	douze	Booz
zéro	azote	gazon	gaze	Fez
zone	azur	horizon	onze	gaz
zoo	bazar	lézard	quatorze	Suez
zoom	bizarre	luzerne	quinze	raz
	byzantin	ozone	seize	
	colza	rizière		

187 s comme raisin

Le son [z] s'écrit s entre deux voyelles, en médiane ou devant *e muet* final.

INITIALE	MÉDIANE			DEVANT E FINAL	FINALE
.	blasé	disette	raisin	bise	.
.	busard	musée	risible	buse	.
.	cousette	paysage	saison	ruse	.
.	cousin	poison	visage		.

REM La graphie s est beaucoup plus employée pour transcrire le son [z] que la graphie z, mais on la rencontre essentiellement entre deux voyelles.

188 x comme dixième

Le son [z] peut parfois être rendu par x, à l'intérieur des mots, ou devant des mots commençant par une voyelle.

deuxième	dix-huit	dix-neuf	dixième	sixième
deux hommes	dix ans			

REM La graphie x se prononce [z] dans *deux, six, dix* s'ils sont suivis d'un mot commençant par une voyelle.

189 ZZ comme pi**ZZ**a

La consonne double ZZ est très rare.

INITIALE	MÉDIANE		FINALE
.	blizzard	pizza	jazz
.	grizzli	razzia	
.	lazzi		

190 Tableau des graphies du son [z]

Le [z] de zoo	INITIALE	MÉDIANE	DEVANT E FINAL	FINALE
z	zèbre	amazone	douze	gaz
s	.	raison	savoureuse	.
x	.	deuxième	.	.
zz	.	pizza	.	jazz

LES RÉGULARITÉS*

191 Les mots en -*euse*

Il faut noter la grande fréquence d'apparition de cette graphie dans les féminins des noms et des adjectifs terminés par -*eux* et -*eur*.

eux / euse	eur / euse
amoureuse	chanteuse
belliqueuse	moqueuse
courageuse	prometteuse
heureuse	trieuse
juteuse	trompeuse
laiteuse	vendeuse
piteuse	
pulpeuse	

ÉCRIRE *tiaire* tertiaire

LES DIFFÉRENTES GRAPHIES

192 *ciaire* comme bénéficiaire

Le son complexe [sjɛʀ] peut s'écrire *ciaire* ; on le rencontre à la fin des mots.

bénéficiaire
fiduciaire
glaciaire
judiciaire

193 *cière* comme nourricière

Le son complexe [sjɛʀ] peut s'écrire *cière* à la fin des mots.

épicière	*mercière*	*saucière*
financière	*nourricière*	*sorcière*
gibecière	*policière*	*souricière*
glacière	*romancière*	*tenancière*

⚠ Dans le mot *cierge*, le son [sjɛʀ] s'écrit *cier* et se trouve au début du mot.

194 *(s)sière* comme pâtissière

Le son [sjɛʀ] peut s'écrire *(r)sière* ou *ssière*, à la fin des mots.

boursière	*glissière*
brassière	*pâtissière*
cache-poussière	*poussière*
caissière	*traversière*

195 *tiaire* comme tertiaire

Le son [sjɛʀ] peut s'écrire *tiaire*, à la fin de quelques mots.

pénitentiaire
plénipotentiaire
rétiaire
tertiaire

REM La forme est identique au masculin et au féminin : *le système pénitentiaire,*
la condition pénitentiaire.

196 Tableau des graphies du son [sjɛʀ]

Le [sjɛʀ] de *gibecière*	INITIALE*	MÉDIANE*	FINALE*
ciaire	.	.	*judiciaire*
cière	.	.	*saucière*
sière	.	.	*boursière*
ssière	.	.	*brassière*
tiaire	.	.	*tertiaire*

LES RÉGULARITÉS*

197 Les noms et les adjectifs en -*ciaire*

Le son [sjɛʀ] ne s'écrit jamais *ciaire* après les voyelles *é* et *e*.

On rencontre la graphie *ciaire* après les voyelles *a, i, u,* mais on rencontre aussi la graphie *ssière* dans ce cas.

ciaire	*ssière*
fiduciaire	*brassière*
glaciaire	*glissière*
judiciaire	

198 Les noms et adjectifs en -*tiaire*

Le son [sjɛʀ] ne s'écrit jamais *tiaire* après les voyelles *a, i, o, u.*

On rencontre la graphie *tiaire* seulement après *é, en, er,* mais on rencontre également la graphie *cière* dans ce cas.

tiaire	*cière*
rétiaire	*mercière*
pénitentiaire	
tertiaire	

ÉCRIRE *tiel* *providentiel*

LES DIFFÉRENTES GRAPHIES

199 *tiel* comme essen*tiel*

INITIALE*	MÉDIANE*	FINALE*			
.	.	concurrentiel	essentiel	interstitiel	préférentiel
.	.	confidentiel	existentiel	partiel	présidentiel
.	.	démentiel	exponentiel	pestilentiel	providentiel
.	.	différentiel	fréquentiel	potentiel	séquentiel

200 *ciel* comme logi*ciel*

Le son complexe [sjɛl] peut s'écrire *ciel*, à la fin des mots.

INITIALE	MÉDIANE	FINALE			
.	.	ciel	didacticiel	logiciel	progiciel
.	.	actanciel	indiciel	ludiciel	superficiel

201 Tableau des graphies du son [sjɛl]

Le [sjɛl] de *ciel*	INITIALE	MÉDIANE	FINALE
tiel	.	.	confidentiel
ciel	.	.	logiciel

LES RÉGULARITÉS*

202 Les mots en -*tiel*

Le son [sjɛl] s'écrit toujours *tiel* après *en*.

essentiel   *potentiel*   *présidentiel*

203 Les mots en -*ciel*

Le son [sjɛl] s'écrit toujours *ciel* après *i* et *an*.

circonstanciel   *logiciel*   *superficiel*

⚠ *interstitiel, substantiel.*

ÉCRIRE *tien*   *mar**tien***

LES DIFFÉRENTES GRAPHIES

204 *cien* comme batra*cien*

Le son [sjɛ̃] s'écrit le plus souvent *cien*.

INITIALE*	MÉDIANE*	FINALE*		
.	.	*académicien*	*mathématicien*	*platonicien*
.	.	*alsacien*	*mécanicien*	*politicien*
.	.	*ancien*	*métaphysicien*	*polytechnicien*
.	.	*batracien*	*milicien*	*praticien*
.	.	*cistercien*	*musicien*	*rhétoricien*
.	.	*dialecticien*	*opticien*	*statisticien*
.	.	*électricien*	*patricien*	*stoïcien*
.	.	*languedocien*	*pharmacien*	*technicien*
.	.	*logicien*	*phénicien*	*théoricien*
.	.	*magicien*	*physicien*	

205 *tien* comme véni*tien*

Le son [sjɛ̃] s'écrit *tien* à la fin de quelques adjectifs.

INITIALE	MÉDIANE	FINALE	
.	.	*capétien*	*martien*
.	.	*égyptien*	*tahitien*
.	.	*haïtien*	*vénitien*
.	.	*lilliputien*	

206 *(s)sien* comme paroi*ssien*

Le son [sjɛ̃] peut s'écrire *(s)sien* dans quelques mots.

(s)sien
parnassien
paroissien
prussien

sien
sien
métatarsien
tarsien

207 Tableau des graphies du son [sjɛ̃]

Le [sjɛ̃] de *musicien*	INITIALE	MÉDIANE	FINALE
cien	.	.	*alsacien*
tien	.	.	*égyptien*
ssien	.	.	*prussien*
sien	.	.	*tarsien*

LES RÉGULARITÉS*

208 Les adjectifs de nationalité en -*tien*

Les adjectifs en -*tien* sont issus de noms dont la racine comporte un *t*.

Capet ⟶ *capétien*

Égypte ⟶ *égyptien*

Haïti ⟶ *haïtien*

Lilliput ⟶ *lilliputien*

Tahiti ⟶ *tahitien*

Vénétie ⟶ *vénitien*

ÉCRIRE *tieux* *superstitieux*

LES DIFFÉRENTES GRAPHIES

209 *cieux* comme astu*cieux*

Le son complexe [sjø] s'écrit souvent *cieux*.

INITIALE*	MÉDIANE*	FINALE*			
.		astu *cieux*	délicieux	officieux	silencieux
.	.	audacieux	disgracieux	pernicieux	soucieux
.	.	avaricieux	judicieux	précieux	spacieux
.	.	cieux	licencieux	révérencieux	vicieux
.	.	consciencieux	malicieux	sentencieux	

210 *tieux* comme facé*tieux*

Le son [sjø] peut aussi s'écrire *tieux*, le plus souvent dans des adjectifs.

INITIALE	MÉDIANE	FINALE		
	.	ambi *tieux*	factieux	prétentieux
.		contentieux	infectieux	séditieux
.		facétieux	minutieux	superstitieux

211 *ssieu, xieux* comme e*ssieu*, an*xieux*

Les graphies *ssieu, xieux* se rencontrent rarement.

ssieu	*ssieux*	*sieur*	*xieux*
e *ssieu*	cha *ssieux*	mon *sieur*	an *xieux*

212 Tableau des graphies du son [sjø]

Le [sjø] de *audacieux*	INITIALE	MÉDIANE	FINALE
cieux	.	.	astu *cieux*
tieux	.	.	supersti *tieux*
ssieu	.	.	e *ssieu*
ssieux	.	.	cha *ssieux*
sieur	.	.	mon *sieur*
xieux	.	.	an *xieux*

213 Les adjectifs en -*cieux*

La graphie *cieux* sert à former des adjectifs à partir de noms se terminant par -*ce* ou -*ci* (rare).

astuce	→	*astucieux*
audace	→	*audacieux*
avarice	→	*avaricieux*
conscience	→	*consciencieu*
délice	→	*délicieux*
disgrâce	→	*disgracieux*
espace	→	*spacieux*
licence	→	*licencieux*
malice	→	*malicieux*
office	→	*officieux*
révérence	→	*révérencieux*
sentence	→	*sentencieux*
silence	→	*silencieux*
souci	→	*soucieux*
vice	→	*vicieux*

Les autres adjectifs terminés par le son [sjø] s'écrivent en général *tieux*.

ÉCRIRE *tion*   *alimenta<u>tion</u>*

LES DIFFÉRENTES GRAPHIES

214   *tion* comme por*tion*

Le son complexe [sjɔ̃] s'écrit *tion* à la fin des mots. Cette graphie *tion* est dix fois plus fréquente que *(s)sion*.

(a)tion	*(é)tion*	*(i)tion*
aération	concrétion	addition
alimentation	discrétion	condition
argumentation	indiscrétion	position
éducation	sécrétion	punition
explication		supposition
fondation		tradition
imagination		
libération		
ségrégation		

(u)tion	*(en)tion*	*(r)tion*
destitution	attention	assertion
diminution	convention	désertion
exécution	intention	insertion
locution	mention	portion
solution	prétention	proportion

215   *ssion* ou *sion* comme pa*ssion* ou émul*sion*

Le son [sjɔ̃] peut aussi s'écrire *sion*, après une consonne, ou *ssion*, après une voyelle.

■ *ssion*

(a)ssion	*(e)ssion*	*(i)ssion*	*(u)ssion*
compassion	agression	admission	concussion
passion	digression	commission	discussion
	impression	émission	percussion
	obsession	mission	répercussion
	procession	scission	
	sécession	soumission	

- *sion*

(en)sion	*(r)sion*
ascension	*aversion*
dimension	*contorsion*
extension	*conversion*
pension	*excursion*
recension	*inversion*
tension	*version*

216 *xion* ou *cion* comme fle*xion* ou suspi*cion*

Le son [sjɔ̃] peut enfin s'écrire *xion* ou *cion(s)*, mais cela arrive beaucoup plus rarement.

xion
annexion
connexion
flexion
fluxion
inflexion
réflexion

cion
suspicion

À ces listes, il convient d'ajouter la première personne du pluriel des verbes en -*cier* : *nous remercions, nous apprécions...*

217 Tableau des graphies du son [sjɔ̃]

Le [sjɔ̃] de *attention*	INITIALE*	MÉDIANE*	FINALE*
tion	.	.	*proportion*
ssion	.	.	*impression*
sion	.	.	*pulsion*
xion	.	.	*réflexion*
cion	.	.	*suspicion*

218 Les noms en -*tion*

On écrit toujours *tion* pour transcrire le son [sjɔ̃] après *au*, *o* et après les consonnes *c* et *p*.

aution	*otion*	*ction*	*ption*
caution	émotion	action	absorption
précaution	lotion	inaction	inscription
	notion	perfection	option
		section	perception

219 Les noms en -*sion*

On écrit toujours *sion* pour transcrire le son [sjɔ̃] après la consonne *l*.

convulsion émulsion expulsion pulsion

LES RÉGULARITÉS*

220 Le *e muet* à la fin des noms féminins

- *ie*

  C'est la finale *ie* qui fournit la plus grande quantité de noms féminins terminés par *e muet*.

accalmie	autarcie	chiromancie	jalousie	panoplie	théorie
aciérie	autocratie	éclaircie	librairie	pénurie	toupie
agonie	autopsie	écurie	loterie	pharmacie	vigie
allergie	avanie	effigie	lubie	phobie	zizanie
amnésie	biopsie	euphorie	minutie	plaidoirie	
apoplexie	bougie	facétie	modestie	poulie	
aporie	bureaucratie	galaxie	névralgie	prairie	
argutie	calvitie	ineptie	nostalgie	superficie	
asepsie	catalepsie	inertie	ortie	tautologie	

REM   Seuls quelques noms féminins terminés par le son [i] ne s'écrivent pas *ie* : brebis, fourmi, nuit, perdrix, souris.

- *ée*

  Le son [e] (et non [te] ou [tje]) s'écrit *ée* à la fin des noms féminins.

  année   matinée   pensée

⚠ *clé* (ou *clef*).

REM   Quelques noms masculins se terminent également par *ée* : lycée, pygmée, scarabée.

- *tée*

  Les noms féminins terminés par le son [te] s'écrivent le plus souvent *té*.

  longévité   précocité   qualité   spécialité

Mais les noms féminins terminés par le son [te] et désignant un contenu s'écrivent *tée*.

brouettée
pelletée
portée

De même, les noms suivants : *dictée, jetée, montée, pâtée,* s'écrivent en *tée*.

■ *ue*

Tous les noms féminins terminés par le son [y] s'écrivent *ue*.

avenue	*déconvenue*	*retenue*
berlue	*étendue*	*tenue*
bienvenue	*fondue*	*verrue*
cohue	*mue*	

■ *aie, eue, oie, oue*

Les autres noms féminins terminés par une voyelle ont souvent un *e muet* final.

aie	*eue*	*oie*	*oue*
baie	*banlieue*	*courroie*	*bajoue*
craie	*lieue*	*joie*	*gadoue*
futaie	*queue*	*oie*	*houe*
ivraie		*proie*	*joue*
monnaie		*soie*	*moue*
pagaie		*voie*	*proue*
plaie			
raie			
roseraie			
sagaie			
taie			

221 Le *e muet* à la fin de noms masculins et féminins

Les noms terminés en *re* sont aussi bien féminins que masculins.

MASCULIN			FÉMININ	
anniversaire	*exutoire*	*lapidaire*	*baignoire*	*molaire*
auditoire	*faussaire*	*ovaire*	*balançoire*	*nageoire*
déboire	*grimoire*	*pourboire*	*échappatoire*	*préhistoire*
directoire	*interrogatoire*	*réfectoire*	*écritoire*	*victoire*
émissaire	*ivoire*	*salaire*		
estuaire	*laboratoire*	*territoire*		

222 Le *e muet* à la fin des adjectifs en -*oire* et en -*aire*

Les adjectifs terminés par *oire* et *aire* s'écrivent de la même façon, au masculin et au féminin.

un combat illusoire	un essai nucléaire
une défense illusoire	une centrale nucléaire

oire	*aire*
illusoire	aliment aire
libératoire	anniversaire
méritoire	dentaire
opératoire	nucléaire
ostentatoire	pénitentiaire
probatoire	polaire
provisoire	solaire
respiratoire	volontaire

223 Le *e muet* à la fin des noms en -*ure*

La plupart des noms en -*ure* (ou en -*ûre*) ont un *e muet* final, qu'ils soient masculins ou féminins.

(u)re

augure	murmure
aventure	nervure
bordure	nourriture
brûlure	ordure
capture	parjure
carbure	pelure
chlorure	piqûre
coiffure	rognure
engelure	saumure
épure	sciure
éraflure	sculpture
gerçure	sinécure
levure	soudure
mercure	sulfure
mesure	tenture

⚠ azur, fémur, futur, mur.

REM   Il existe naturellement d'autres mots en -*re* : carnivore, guitare, navire, dinosaure… Mais on ne peut pas dégager de règles générales quant à leur orthographe.

224 Le *e muet* à l'intérieur des mots

On rencontre un *e muet* à l'intérieur de noms dérivés d'un verbe en -*ier*, en -*ouer*, en -*uer* et en -*yer*.

ier / ie	ouer / oue	uer / ue	yer / ie
balbutiement	*dénouement*	*dénuement*	*aboiement*
licenciement	*dévouement*	*éternuement*	*bégaiement*
ralliement	*engouement*	*remuement*	*déblaiement*
remerciement	*rouerie*	*tuerie*	*déploiement*
scierie			*paiement*
			rudoiement

De nombreuses formes verbales des verbes en -*ier*, -*ouer*, -*uer* et -*yer* présentent des *e muets* : *j'envoie, nous nierons, tu ne tueras pas, ils jouent…*

225 Les mots terminés obligatoirement par un *e muet*

Certains groupes de lettres ne peuvent apparaître en fin de mot qu'avec un *e muet* final.

-*ble* : *aimable, possible, table.*
-*bre* : *arbre, octobre, sobre.*
-*che* : *affiche, fiche, moche, tache.*
-*cle* : *boucle, socle, spectacle.*
-*cre* : *âcre, ocre, nacre.*
-*dre* : *ordre, cèdre, cidre.*
-*gle* : *aigle, ongle, sigle.*
-*gre* : *ogre, pègre.*

-*gue* : *bague, figue, psychologue.*
-*phe* : *apocryphe, autographe, strophe.*
-*ple* : *ample, souple.*
-*pre* : *câpre, lèpre.*
-*que* : *brique, géométrique, phonothèque.*
-*rre* : *amarre, bagarre, beurre, bizarre, serre.*
-*tre* : *chapitre, huître, plâtre.*

Précisons que, s'il semble raisonnable de parler de *e muet* en finale, il n'en reste pas moins vrai que, dans des domaines comme la poésie, le théâtre ou la chanson, ils peuvent fort bien être prononcés.

226 Le *e muet* final et le sens des mots

Dans de nombreux cas, le *e muet* final joue un rôle de « révélateur de consonne ». On pourra ainsi opposer phonétiquement :

chant — chante   *frais — fraise*   *rein — reine*

Le *e muet* final est également la marque du féminin des adjectifs
→ paragraphe 257.

japonais → *japonaise*   *premier* → *première*

227 Le *e muet* et la prononciation des mots

La présence d'un *e muet* final peut entraîner une prononciation différente de la consonne.

fac — face   *lac — lace*
suc — suce   *trac — trace*

→ les finales en -*ge* : *barrage, garage, page, virage,* **paragraphe** 143.

En revanche, on ne prononce pas toujours le *e muet* en position médiane, entre consonnes.

boul(e)vard   *dur(e)té*   *sûr(e)té*

228 Le *e muet* à l'intérieur de noms

Il s'agit de noms dérivés d'un verbe terminé par :

-*ier* : *licencier* → *licenciement.*
-*uer* : *tüer* → *tuerie.*
-*yer* : *aboyer* → *aboiement.*
-*ouer* : *dénouer* → *dénouement.*

LES RÉGULARITÉS*

229 Le *s muet* à la fin des mots

La grande majorité des mots terminés par un *s muet* sont des noms ou des adjectifs masculins.

NOM			ADJECTIF
abus	dos	mois	anglais
anchois	éboulis	obus	niais
appentis	enclos	paradis	obtus
avis	engrais	parvis	
biais	fatras	permis	
bourgeois	fracas	pilotis	
bras	frimas	propos	
buis	frottis	rabais	
cabas	galetas	radis	
cambouis	hachis	refus	
canevas	héros	relais	
chamois	intrus	repas	
chas	jais	repos	
choucas	jus	roulis	
colis	laquais	rubis	
coloris	lavis	semis	
compromis	lilas	sursis	
coulis	logis	taffetas	
coutelas	marais	talus	
dais	matelas	tournedos	
débarras	mépris	trépas	
devis	minois		

⚠ *brebis*, *fois*, *souris* **sont des noms féminins.**

REM — La conjonction de coordination *mais* se termine aussi par *s*.

— De nombreux adverbes se terminent par *s* : *autrefois*, *désormais*, *jamais*, *néanmoins*, *puis*, *quelquefois*, *toujours*, *toutefois*…

— Dans un petit nombre de mots, le *s* **muet** final peut apparaître après une autre consonne : *aurochs*, *corps*, *divers*, *fonds*, *legs*, *poids*, *temps*, *velours*.

230 Le *t muet* à la fin des mots

On trouve également un grand nombre de noms masculins ayant un *t muet* en finale ainsi que des adjectifs et des adverbes.

acabit	*chahut*	*détroit*	*front*	*partout*	*statut*
achat	*circuit*	*édit*	*fruit*	*plagiat*	*sursaut*
adroit	*climat*	*égout*	*gabarit*	*plat*	*surtout*
affront	*complot*	*embout*	*institut*	*produit*	*syndicat*
amont	*conflit*	*emprunt*	*lauréat*	*profit*	*thermostat*
appétit	*crédit*	*endroit*	*lingot*	*rabot*	*toit*
argot	*débit*	*entrepont*	*lit*	*raffut*	*tout*
artichaut	*debout*	*escargot*	*magistrat*	*reliquat*	*tribut*
assaut	*début*	*exploit*	*magnat*	*résultat*	*tricot*
bout	*défaut*	*faitout*	*matelot*	*sabot*	
candidat	*défunt*	*format*	*nuit*	*saut*	
carat	*délit*	*fortuit*	*odorat*	*soubresaut*	

⚠ *la nuit, la mort* sont des noms féminins.

REM Mettre un adjectif au féminin permet de savoir si le mot comporte un *t muet* final.

étroit ⟶ *étroite*

Le *t muet* apparaît à la fin de tous les adverbes en *-ment* et des participes présents.

ADVERBE	PARTICIPE PRÉSENT
assurément	*comprenant*
carrément	*finissant*
couramment	*mangeant*
gentiment	*plaçant*

Le *t* peut également suivre une autre consonne muette (*c*, *p* et *s*).

aspect	*exempt*
irrespect	*prompt*
respect	
suspect	

Enfin, on peut le trouver après *r*.

art	*dessert*	*support*
concert	*écart*	*tort*
confort	*effort*	*transfert*
départ	*plupart*	
désert	*rempart*	

231 Le *x muet* à la fin des mots

Généralement, le *x* en finale ne se prononce pas, sauf dans quelques mots :
index, latex.

NOM			ADJECTIF
afflux	*influx*	*queux*	*deux*
choix	*noix*	*redoux*	*faux*
croix	*paix*	*saindoux*	
époux	*perdrix*	*taux*	
flux	*poix*	*toux*	
houx	*prix*	*voix*	

REM   – Tous ces mots terminés par *x* au singulier sont invariables → paragraphe 275.

un époux → *les époux*
une noix → *les noix*

– On se reportera également aux pluriels en -*aux* → paragraphe 276.

un animal → *des animaux*
un vitrail → *des vitraux*

232 Le *r muet* à la fin des mots

Tous les noms masculins terminés par le son [tje] s'écrivent -*tier*,
avec un *r muet* final.

bijoutier
charcutier
quartier
sentier

REM   Les noms féminins terminés par ce même son [tje] s'écrivent -*tié* : *amitié, moitié…*

233 Les autres consonnes muettes à la fin des mots

Bien que moins fréquemment, on trouve aussi *d* en finale, aussi bien après
voyelle qu'après consonne (*n* et *r*).

voyelle + *d*	nd	rd	
crapaud	*bond*	*accord*	*lézard*
nid	*différend*	*bord*	*lourd*
nœud	*friand*	*brouillard*	*record*
pied	*gond*	*canard*	*sourd*
réchaud		*dossard*	*standard*
		épinard	
		hasard	

Un *p muet* final apparaît dans les mots suivants :

beaucoup	*loup*
champ	*sirop*
coup	*trop*
drap	

REM   On notera que *beaucoup* et *trop* suivis d'un mot commençant par une voyelle retrouvent un *p* sonore dans la liaison :

J'ai beaucoup appris. — Nous avions trop aimé son premier film.

On trouve également quelques mots se terminant par un *c muet*.

banc
blanc
flanc
franc

Enfin, *g, b* et *l* sont fort rares en finale.

coing	*aplomb*	*fusil*
poing	*plomb*	*outil*
	surplomb	

REM   À l'écrit, les consonnes muettes *s, t, d, nt* jouent un rôle important dans la conjugaison des verbes : *tu chantes, il finit* → paragraphe 326.

234 Le *h muet* au début des mots

On le rencontre à l'initiale.

habitude
haricot
héritage
homme

Il oblige parfois à ne pas faire de liaison avec le mot précédent : *des hangars.*

On le rencontre aussi dans les mots d'origine grecque.

→ Racines grecques et latines, paragraphes 382 à 383.

hématome	*hydraulique*
hétérogène	*hypnose*
hippodrome	*hypothèse*
homologue	*hystérique*

235 Le *h muet* à l'intérieur d'un mot

Le *h* apparaît également en position médiane dans les mots d'origine grecque (*th*).

→ aussi *th*, paragraphe 117.

bibliothèque	*sympathique*
épithète	*théâtre*
hypothèse	*thèse*

La présence d'un *h* intérieur est souvent l'indice d'une coupe dans le mot. On trouve en général un adjectif ou un préfixe en composition avec un nom (ou un adjectif) commençant par *h* : *dés-honneur, in-habituel, mal-habile*…

bonheur	*inhabité*	*inhumain*	*posthume*
exhalaison	*inhabituel*	*malhabile*	*préhistoire*
exhibition	*inhérent*	*malheur*	*prohibition*
exhortation	*inhibition*	*malhonnête*	*réhabilitation*
gentilhomme	*inhospitalier*	*menhir*	*transhumance*

REM *Silhouette* est à l'origine un nom propre (ministre de Louis XV).
Dahlia est également à l'origine un nom propre (botaniste suédois).

Pour éviter la rencontre de deux voyelles, le français dispose de deux procédés qui permettent d'empêcher cette « coagulation » : l'emploi d'un *h* ou l'emploi d'un *tréma* (¨) → aussi paragraphes 236 et 237.

Ahuri, sans *h*, serait prononcé : « auri ».
Trahison, sans *h*, serait prononcé : « traison ».

Dans les mots suivants, la présence du *h* entre deux voyelles oblige à prononcer ces deux voyelles séparément.

ahan	*déhiscent*
ahuri	*ébahi*
appréhension	*envahi*
bohème	*méhari*
cahot	*préhensible*
cahute	*préhistoire*
cohérent	*répréhensible*
cohorte	*trahison*
cohue	*véhément*
déhancher	*véhicule*

236 Définition du *tréma*

Le tréma est constitué de deux points placés horizontalement sur la dernière voyelle d'un groupe de deux voyelles.

On utilise le tréma pour indiquer que deux voyelles voisines se prononcent séparément.

Maïs (risque de confusion avec « mais »).

Naïf (risque d'être prononcé : « naif »).

237 Rôle du *tréma*

La présence du tréma empêche la fusion :

de a et i en ai		*de o et i en oi*
aïeul	*maïs*	*coïncidence*
faïence	*mosaïque*	*cycloïde*
glaïeul	*naïf*	*héroïque*
haïssable	*païen*	*stoïque*
laïcité		

de gu et e en gue et de gu et i en gui

ambiguïté   *ciguë*   *exiguïté*

de a + u	*de o + e*	*de ou + i*
capharnaüm	*Noël*	*inouï*
		ouïe

Le tréma permet de marquer le féminin de quelques adjectifs.

aigu → *aiguë*
ambigu → *ambiguë*
contigu → *contiguë*
exigu → *exiguë*

REM Certaines associations de voyelles ($u+a$, $a+o$, $é+o$...) ne donnent pas lieu à des fusions et on n'emploie donc pas de tréma.

accordéon	*cruel*	*immuable*
cacao	*fluide*	*truand*

238 La *virgule*

La virgule indique une pause dans la phrase, moins marquée que celle indiquée par le point.

Émilie arriva au bord de l'eau, admira le paysage et s'allongea.

La virgule sépare des éléments semblables (même fonction, même registre) dans la phrase.

Olivier acheta des fruits, un canard et le journal.

239 Le *point*

Le point se place à la fin de la phrase.

Sophie prépara des crêpes.

On peut utiliser le point après un numéro de chapitre.

I. Étude météorologique
II. Étude géologique
III. Étude sociologique

Le point signale la fin d'une abréviation.

M. (Monsieur)	*id. (idem)*
S.M. (Sa Majesté)	*ap. J.-C. (après Jésus-Christ)*

REM   On ne met pas de point lorsque des lettres sont supprimées à l'intérieur du mot.

Dr (Docteur)	*Mgr (Monseigneur)*	*n⁰ (numéro)*
St (Saint)	*bd (boulevard)*	

Une ligne de points peut servir à guider le regard pour faire établir un rapport entre deux éléments de la page.

Ces points alignés sont appelés « points de conduite ».

La glace . . . . .15 F

240 Le *point-virgule*

Le point-virgule s'utilise à l'intérieur d'une phrase. La valeur de pause du point-virgule se situe entre celle du point et celle de la virgule.

On ne met pas de majuscule après le point-virgule.

Les saules commençaient à bourgeonner ; on sentait le printemps.

241 Le *point d'exclamation*

Il s'utilise après une interjection ou une phrase exclamative.

Aah !... Tu m'as fait peur !

interjection   phrase exclamative

Dans les locutions interjectives *eh bien !* *oh là là !* le point d'exclamation se met après le dernier mot.

242 Le *point d'interrogation*

Le point d'interrogation se place à la fin d'une question.

Que voulez-vous au juste ?

On peut marquer le doute par un point d'interrogation entre parenthèses *(?)*.

Rabelais naquit en 1494 (?) à Chinon.

243 Les *points de suspension*

On les appelle aussi « les petits points » ou « trois petits points ».

On les utilise pour marquer l'inachèvement dans l'expression d'une idée, d'une énumération.

On apercevait des veaux, des vaches, des cochons...

On peut les utiliser avant ou après un point d'exclamation ou d'interrogation.

Hep !... vous là-bas !...
Où allez-vous ?...
Vous disiez...?

On les emploie aussi après l'initiale d'un nom qu'on veut dissimuler.

Monsieur de G.M... entra.

Les points de suspension placés entre crochets indiquent une coupure dans un texte :

« Pour moi donc, j'aime la vie [...] telle qu'il a plu à Dieu nous l'octroyer. » MONTAIGNE

Les points de suspension, enfin, marquent une pause, une attente, une surprise dans un texte.

Et alors..., et alors..., Zorro est arrivé.

244 Les *deux-points*

Les deux-points annoncent une énumération, une citation, des propos.

Tout l'émerveillait : les foulards, les robes, les écharpes.
Elle s'exclama : « Comme c'est joli ! »

Les deux-points annoncent parfois une explication, une justification :

Frédéric retourna chez Rosanette : il y avait oublié son portefeuille.

245 Les *parenthèses* et les *crochets*

Les parenthèses servent à mettre à part un mot, une remarque ou un passage.

Un loup survient à jeûn (c'est La Fontaine qui le dit)
Qui cherchait aventure...

Nous partîmes en bateau (nous l'avions loué le matin même) pour aller sur l'île.

Les crochets signalent une coupure dans un texte que l'on cite, à l'exclusion des parenthèses.

Les médecins et quelques-uns de ces dervis, qu'on appelle confesseurs, sont toujours ici ou trop estimés, ou trop méprisés : cependant on dit que les héritiers s'accommodent mieux des médecins [...]

Lettres persanes

246 Les *guillemets*

Ils ont été imaginés par l'imprimeur Guillaume, dit Guillemet.

On les marque à la française : « … » ou à l'anglaise : "…"

Les guillemets encadrent une citation.

La Fontaine écrit : « Amants, heureux amants,
Voulez-vous voyager… »

On utilise les guillemets pour mettre en évidence un titre d'article, un nom de véhicule, une expression étrangère, un mot familier.

Le « Napoléon Bonaparte » arriva dans le port d'Ajaccio.

Il venait de mettre ses nouvelles « godasses » pour aller dans un « fast-food ».

On utilise les guillemets pour rapporter des paroles prononcées.

En arrivant devant la maison, il appela ses amis :
« Vous venez ? Nous partons bientôt.
— Oui, nous descendons. »

247 Le *tiret*

Dans un dialogue, le tiret annonce un nouvel interlocuteur.

« Voulez-vous jouer avec moi ?
— Oui, bien sûr. »

Les tirets peuvent remplacer des parenthèses. Dans le traitement de texte, le tiret est précédé d'une espace. Le second tiret n'est pas indispensable devant un point ou un point-virgule.

Quand un orage passe sur la région — ici, la Picardie — la terre est détrempée.
La brume matinale s'était levée et l'on pouvait voir la terre — la Corse.

Le tiret peut se mettre entre un numéro et un titre.

IV — Le corps humain

Abréviations

248 Procédés d'*abréviation*

L'abréviation consiste à réduire un mot à une ou quelques lettres.
Certaines abréviations sont formées des premières lettres du mot,
la dernière lettre de l'abréviation étant le plus souvent une consonne suivie
d'un point.

Adjectif → *Adj.*   *Paragraphe* → *Paragr.*

Philippe (prénoms commençant par plusieurs consonnes) → *Ph.*

Certaines abréviations ne sont formées que de la première lettre
du mot suivie d'un point.

Daniel (prénoms commençant par une seule consonne) → *D.*

Monsieur → *M.*   *Nord* → *N.*

Certaines abréviations sont formées de la première et de la
ou des dernières lettres du mot et ne sont pas suivies d'un point.

Madame → *Mme*

REM   Dans certains cas, les lettres suivant la première peuvent être mises
en exposant.

Mademoiselle → *Mlle*   *Madame* → *Mme*   *Numéro* → *n^o*

Dans une abréviation, le pluriel est marqué
– soit par un « *s* »
– soit par une répétition de la lettre pour les abréviations formées
d'une seule lettre.

Mesdames → *Mmes*   *Messieurs* → *MM.*

⚠ Les abréviations des symboles scientifiques ne prennent pas la marque
du pluriel → paragraphe 250.

249 *Abréviations* courantes

adj.	*adjectif*		fasc.	*fascicule*
adv.	*adverbe*		hab.	*habitant*
apr J.-C.	*après Jésus-Christ*		H.T.	*hors taxes*
art.	*article*		id.	*idem (le même)*
av. J.-C.	*avant Jésus-Christ*		i. e.	*id est (c'est-à-dire)*
boul. bd	*boulevard*		ital.	*italique*
bur.	*bureau*		loc. cit.	*loco citato (à l'endroit cité)*
c-à-d	*c'est-à-dire*		M.	*Monsieur*
cap.	*capitale*		MM.	*Messieurs*
cf. conf.	*confer (comparer avec)*		math.	*mathématique*
chap.	*chapitre*		Me	*Maître*
Cie	*compagnie*		Mes	*Maîtres*
dép.	*département*		Mgr	*Monseigneur*
Dr	*docteur*		Mgrs	*Messeigneurs*
éd.	*édition(s)*		Mlle	*Mademoiselle*
édit.	*éditeur(s)*		Mlles	*Mesdemoiselles*
env.	*environ*		Mme	*Madame*
etc.	*et caetera (et cétéra)*		Mmes	*Mesdames*
étym.	*étymologie*		ms.	*manuscrit*
E.V.	*en ville*		N.	*nord*
ex.	*exemple ou exercice*		N.B.	*nota bene (notez bien)*

N.-D.	*Notre-Dame*	S.A.R.L.	*société anonyme à responsabilité limitée*
N.D.A.	*note de l'auteur*	subst.	*substantif*
N.D.E.	*note de l'éditeur*	suiv.	*suivant*
N.D.L.R.	*note de la rédaction*	sup.	*supérieur*
n°	*numéro*	suppl.	*supplément*
O.	*ouest*	S.V. P.	*s'il vous plaît*
P.C.C.	*pour copie conforme*	t.	*tome*
p. ex.	*par exemple*	tél.	*téléphone*
p.	*page*	T.T.C.	*toutes taxes comprises*
pp.	*pages*	T.V.A.	*taxe à la valeur ajoutée*
paragr.	*paragraphe*	v.	*verbe, vers* (en poésie), *vers* (devant une date = environ) ou *voir* (= *se reporter à*)
P.-S.	*post-scriptum*		
Q.G.	*quartier général*		
r°	*recto*	v°	*verso* (envers)
S.	*sud*	vol.	*volume*
S.A.	*société anonyme*		

250 *Abréviations* des symboles scientifiques

Les abréviations des symboles scientifiques sont formées en général :
– par la première lettre du mot,
– ou par les premières lettres du préfixe et du radical.

⚠ *min, dam, dal, dag.*

Elles ne sont pas suivies de point. Elles ne prennent pas la marque du pluriel.

franc → *F*
millimètre → *mm*
cent francs → *100 F*

251 *Abréviations* scientifiques les plus courantes

longueur

mm	*millimètre*	m	*mètre*	km	*kilomètre*
cm	*centimètre*	dam	*décamètre*		
dm	*décimètre*	hm	*hectomètre*		

superficie

mm^2	*millimètre carré*	hm^2	*hectomètre carré*
cm^2	*centimètre carré*	km^2	*kilomètre carré*
dm^2	*décimètre carré*	ca	*centiare*
m^2	*mètre carré*	a	*are*
dam^2	*décamètre carré*	ha	*hectare*

volume

mm^3	*millimètre cube*	hm^3	*hectomètre cube*	l	*litre*
cm^3	*centimètre cube*	km^3	*kilomètre cube*	dal	*décalitre*
dm^3	*décimètre cube*	ml	*millilitre*	hl	*hectolitre*
m^3	*mètre cube*	cl	*centilitre*		
dam^3	*décamètre cube*	dl	*décilitre*		

temps

s	*seconde*	h	*heure*
min	*minute*	j	*jour*

masse

mg	*milligramme*	g	*gramme*	kg	*kilogramme*
cg	*centigramme*	dag	*décagramme*	q	*quintal*
dg	*décigramme*	hg	*hectogramme*	t	*tonne*

Mots invariables

252 Liste des mots les plus courants

- *afin*
- *ailleurs*
- *ainsi*
- *alors, dès lors,* **lors**, *lorsque*
- *après, auprès, exprès,* **près**, *presque*
- *arrière, derrière*
- *assez*
- *au-dessous, dessous,* **sous**
- *au-dessus, dessus, par-dessus,* **sus**
- *aujourd'hui*
- *auparavant,* **avant**, *devant, davantage, dorénavant*
- *aussi*
- *aussitôt, bientôt, plutôt, sitôt, tantôt,* **tôt**
- *autant, pourtant,* **tant**, *tant pis*
- *autrefois,* **fois**, *parfois, quelquefois, toutefois*
- *avec*
- *beaucoup*
- *cependant, pendant*
- *certes*
- *chez*
- *comme, comment*
- *d'abord*
- **dans**, *dedans*
- *debout*
- *dehors,* **hors**
- *déjà*
- *demain*
- *depuis,* **puis**, *puisque*
- **dès**, *dès que*
- *désormais, jamais,* **mais**

- *donc*
- *durant*
- *entre*
- *envers, par devers, (à) travers,* **vers**
- *environ*
- **gré**, *malgré*
- **guère**, *naguère*
- *hier*
- *hormis*
- *ici*
- *jadis*
- *jusque*
- *loin*
- *longtemps*
- *mieux, tant mieux*
- **moins**, *néanmoins*
- *parmi*
- *partout*
- **plus**, *plusieurs*
- *quand*
- *sans*
- *selon*
- *surtout*
- *tandis que*
- *toujours*
- *trop*
- *volontiers*

ORTHOGRAPHE GRAMMATICALE

Les numéros renvoient aux numéros des paragraphes.

253 Genre des noms animés : un pêcheur, une truite

Pour le nom des êtres animés, le genre dépend du sexe de l'être désigné.

Le genre est marqué par :

• un changement de la fin du nom

MASCULIN	FÉMININ
un chat	une chatte
un chien	une chienne
un cousin	une cousine
un chameau	une chamelle
un loup	une louve
un ours	une ourse

• un changement de forme

MASCULIN	FÉMININ
un cerf	une biche
un frère	une sœur
un garçon	une fille
un gendre	une bru
un père	une mère

• aucun changement

MASCULIN	FÉMININ
un collègue	une collègue
un concierge	une concierge
un élève	une élève
un enfant	une enfant
un professeur	une professeur

254 Genre des noms de choses : un gâteau, une tarte

Pour les noms désignant des êtres inanimés (idées, objets, sentiments…), il n'y a pas de règle qui puisse en déterminer le genre. Pour vous assurer du genre d'un nom → Lexique, paragraphe 394 et suivants.

un accident	un avion	un lit
une colère	une journée	une promenade

255 Genre des noms et changement de sens : un moule, une moule

Le changement de genre peut parfois changer le sens d'un nom.

MASCULIN	FÉMININ
un *livre*	une *livre*
un *poste*	une *poste*
un *tour*	une *tour*

256 Genre des noms de profession : un inspecteur, une inspectrice, un ingénieur (homme ou femme)

La plupart des noms de profession changent au féminin.

un *boulanger*	→	une *boulangère*
un *docteur*	→	une *doctoresse*
un *instituteur*	→	une *institutrice*

Certains noms de profession ou de fonction ne changent pas au féminin.

un *ministre*   un *professeur*   un *proviseur*

257 Féminin des adjectifs : salé, salé*e*

On forme le plus souvent le féminin des adjectifs en ajoutant simplement
à la forme du masculin un « *e* » :

- qui s'entend

MASCULIN	FÉMININ
abondant	abondant*e*
brun	brune
français	française
grand	grande
lourd	lourde
petit	petite
plein	pleine

- qui ne s'entend pas

MASCULIN	FÉMININ
épicé	épicée
gai	gaie
joli	jolie
nu	nue
pointu	pointue
poli	polie
vrai	vraie

258 Féminin des adjectifs en -*c* : blan*c*, blan*che*, publi*c*, publi*que*

Les adjectifs se terminant par -*c* au masculin ont leur féminin :

- en -*che*

MASCULIN	FÉMININ
blanc	blanche
franc	franche
sec	sèche

- ou en -*que*

MASCULIN	FÉMININ
caduc	caduque
laïc	laïque
turc	turque

259 Féminin des adjectifs en -*e* : un climat rud*e*, une pente rud*e*

Les adjectifs se terminant par -*e* au masculin ne changent pas au féminin.

MASCULIN	FÉMININ
aimable	aimable
calme	calme
élémentaire	élémentaire
nucléaire	nucléaire
pâle	pâle
rude	rude

260 Féminin des adjectifs en *-el* : cru*el*, cru*elle*

Les adjectifs se terminant par *-el* au masculin ont un féminin en *-elle* (doublement de la consonne finale).

MASCULIN	FÉMININ
annuel	annuelle
bel	belle
cruel	cruelle
tel	telle

261 Féminin des adjectifs en *-eil* : par*eil*, par*eille*

Les adjectifs se terminant par *-eil* au masculin ont un féminin en *-eille* (doublement de la consonne finale).

MASCULIN	FÉMININ
pareil	pareille
vermeil	vermeille
vieil	vieille

262 Féminin des adjectifs en *-er* : fi*er*, fi*ère*

Les adjectifs se terminant par *-er* au masculin ont un féminin en *-ère*.

MASCULIN	FÉMININ
altier	altière
dernier	dernière
étranger	étrangère
léger	légère

263 Féminin des adjectifs en *-et* : coqu*et*, coqu*ette*, compl*et*, compl*ète*

Les adjectifs se terminant par *-et* au masculin ont un féminin :

- en *-ette* (doublement de la consonne finale)

MASCULIN	FÉMININ
blet	blette
coquet	coquette
fluet	fluette
muet	muette
net	nette
simplet	simplette

- ou en *-ète*

MASCULIN	FÉMININ
complet	complète
désuet	désuète
discret	discrète
inquiet	inquiète
replet	replète
secret	secrète

264 Féminin des adjectifs en *-eur* : vol*eur*, vol*euse*, élévat*eur*, élévat*rice*, enchant*eur*, enchant*eresse*

Les adjectifs se terminant par *-eur* au masculin ont un féminin :

- en *-euse*

MASCULIN	FÉMININ
ment*eur*	ment*euse*
trompeur	trompeuse
voleur	voleuse

- ou en *-rice*

MASCULIN	FÉMININ
élévat*eur*	élévat*rice*
novateur	novatrice
réducteur	réductrice
séducteur	séductrice

- ou en *-eresse*

MASCULIN	FÉMININ
enchanteur	enchanteresse
vengeur	vengeresse

265 Féminin des adjectifs en *-f* : neu*f*, neu*ve*

Les adjectifs se terminant par *-f* au masculin ont un féminin en *-ve*.

MASCULIN	FÉMININ
explosi*f*	explosi*ve*
naïf	naïve
neuf	neuve
sauf	sauve
veuf	veuve

266 Féminin des adjectifs en *-gu* : ai*gu*, ai*guë*

Les adjectifs se terminant par *-gu* au masculin ont un féminin en *-guë*.

MASCULIN	FÉMININ
ambigu	ambi*guë*
exigu	exi*guë*

REM Le tréma (¨) permet de garder le son [y] → paragraphe 237.

Le tréma et la nouvelle orthographe → paragraphe 393.

267 Féminin des adjectifs en -*ien* : anc*ien*, anc*ienne*

Les adjectifs se terminant par -*ien* au masculin ont un féminin en -*ienne* (doublement de la consonne finale).

MASCULIN	FÉMININ	MASCULIN	FÉMININ
ancien	ancienne	martien	martienne
francilien	francilienne	parisien	parisienne
italien	italienne		

268 Féminin des adjectifs en -*on* : b*on*, b*onne*

Les adjectifs se terminant par -*on* au masculin ont un féminin en -*onne* (doublement de la consonne finale).

MASCULIN	FÉMININ	MASCULIN	FÉMININ
bon	bonne	fanfaron	fanfaronne
bouffon	bouffonne	félon	félonne
bougon	bougonne		

269 Féminin des adjectifs en -*ot* : idi*ot*, idi*ote*

Les adjectifs en -*ot* au masculin ont généralement un féminin en -*ote*.

MASCULIN	FÉMININ	MASCULIN	FÉMININ
bigot	bigote	idiot	idiote
dévot	dévote	petiot	petiote
huguenot	huguenote		

⚠ Les adjectifs *pâlot*, *sot* et *vieillot* ont un féminin en -*otte* : *pâlotte*, *sotte*, *vieillotte*.

270 Féminin des adjectifs en -*s* : exqui*s*, exqui*se*, épai*s*, épai*sse*

Les adjectifs en -*s* au masculin ont généralement un féminin :

- en -*se* (on entend le son [z])
- ou en -*sse* (on entend le son [s])

MASCULIN	FÉMININ	MASCULIN	FÉMININ
gaulois	gauloise	bas	basse
gris	grise	épais	épaisse
portugais	portugaise	gros	grosse
ras	rase		

⚠ Les adjectifs *frais* et *tiers* deviennent *fraîche* et *tierce* au féminin.

271 Féminin des adjectifs en -*ul* : n*ul*, n*ulle*

Les adjectifs se terminant par -*ul* au masculin ont un féminin en -*ulle*
(doublement de la consonne finale).

MASCULIN	FÉMININ
nul	nulle

272 Féminin des adjectifs en -*x* : nerveu*x*, nerveu*se*

Les adjectifs se terminant par -*x* au masculin ont généralement un féminin
en -*se*.

MASCULIN	FÉMININ
heureux	heureuse
jaloux	jalouse
nerveux	nerveuse

⚠ L'adjectif *doux* a un féminin en -*ce* : *douce*.
Les adjectifs *faux* et *roux* ont des féminins en -*sse* : *fausse, rousse*.

273 Féminins à forte variation : beau, belle

MASCULIN	FÉMININ		MASCULIN	FÉMININ
beau	belle		frais	fraîche
bénin	bénigne		malin	maligne
favori	favorite		tiers	tierce
fou	folle		vieux	vieille

274 Pluriel des noms simples

Dans la plupart des cas, on marque le pluriel en ajoutant un -*s* à la forme du singulier.

SINGULIER	PLURIEL
un ami	des amis
un chien	des chiens

275 Pluriel des noms en -*s*, -*x*, -*z* : un avi*s*, des avi*s*

Les noms qui se terminent par un -*s*, un -*x* ou un -*z* au singulier ne changent pas d'orthographe au pluriel.

SINGULIER	PLURIEL
un choix	des choix
un gaz	des gaz
un nez	des nez
un prix	des prix
un puits	des puits

276 Pluriel des noms en -*au* : un noy*au*, des noy*aux*

Les noms en -*au* forment habituellement leur pluriel en -*aux*.

SINGULIER	PLURIEL
un étau	des étaux
un tuyau	des tuyaux

⚠ *Landau*, *sarrau* **ont des pluriels en -*aus*** : *landaus, sarraus.*

277 Pluriel des noms en -*eau* : un mart*eau*, des mart*eaux*

Tous les noms se terminant par -*eau* ont leur pluriel en -*eaux*.

SINGULIER	PLURIEL
un seau	des seaux
un drapeau	des drapeaux

278 Pluriel des noms en -*al* : un chev*al*, des chev*aux*

Les noms en -*al* forment habituellement leur pluriel en -*aux*.

SINGULIER	PLURIEL
un cheval	des chevaux
un journal	des journaux

⚠ Les noms suivants ont leur pluriel en -*als* :

aval, bal, cal, carnaval, cérémonial, chacal, festival, pal, récital, régal.

279 Pluriel des noms en -*ail* : un dét*ail*, des dét*ails*

Les noms en -*ail* forment habituellement leur pluriel en -*ails*.

SINGULIER	PLURIEL	SINGULIER	PLURIEL
un attirail	des attirails	un gouvernail	des gouvernails
un chandail	des chandails	un poitrail	des poitrails
un détail	des détails	un portail	des portails
un éventail	des éventails	un sérail	des sérails

⚠ Les huit noms suivants ont leur pluriel en -*aux* :

bail, corail, émail, fermail, soupirail, travail, vantail, vitrail.

280 Pluriel des noms en -*eu* : un adi*eu*, des adi*eux*

Les noms en -*eu* forment habituellement leur pluriel en -*eux*.

SINGULIER	PLURIEL
un pieu	des pieux

⚠ Les noms suivants ont leur pluriel en -*eus* : *bleu, émeu, lieu* (le poisson), *pneu.*

281 Pluriel des noms en -*ou* : un f*ou*, des f*ous*

Les noms en -*ou* forment habituellement leur pluriel en -*ous*.

SINGULIER	PLURIEL
un bisou	des bisous
un clou	des clous

⚠ Sept noms en -*ou* ont leur pluriel en -*oux* :

bijou, caillou, chou, genou, hibou, joujou, pou.

282 Pluriels à forte variation

Les noms suivants ont une forme au singulier différente de leur forme au pluriel :

SINGULIER	PLURIEL
un aïeul	*des aïeux (*ou* aïeuls)*
un ciel	*des cieux (*ou* ciels)*
un œil	*des yeux*

283 Pluriel des noms propres : les Durant

Dans la plupart des cas, les noms propres sont invariables.

Les frères Lumière

Les Dupont

284 Pluriel des noms propres : cas particuliers

Les noms propres s'accordent en nombre dans les cas suivants :

NATURE DU NOM PROPRE	EXEMPLES
Quand le nom propre est celui de quelqu'un qui est une référence dans un domaine.	*Des Mozarts, il n'en existera plus.*
△ Mais si le nom propre comprend un article au singulier, il reste invariable.	*Des La Fontaine*
Quand le nom propre est celui d'une famille illustre.	*Beaucoup de rois de France sont issus des Bourbons.*
△ Mais si ces noms ont gardé leur forme étrangère, ils restent invariables.	*Les Romanov*
Quand le nom propre désigne un lieu géographique.	*Les Amériques, les Guyanes*
△ Mais si le nom propre est un nom composé, il reste invariable.	*Il existe plusieurs Saint-Savin.*
Quand le nom propre désigne des œuvres d'art, il peut aussi bien se mettre au pluriel que rester au singulier.	*Le musée a acheté deux Picasso(s).*
Quand le nom propre est utilisé sans majuscule pour désigner les défauts ou les qualités de quelqu'un.	*Ces hommes sont des hercules.*

285 Pluriel des noms composés : les chasse-neige

L'accord des noms composés dépend souvent du sens des mots qui les composent.

MOT COMPOSÉ	EXEMPLES
NOM + NOM Le plus souvent, les deux noms prennent la marque du pluriel. Plus rarement, le premier nom seulement prend la marque du pluriel si l'on peut placer entre les deux noms une préposition sous-entendue.	*des choux-fleurs* *des timbres-poste* *(= des timbres pour la poste)*
NOM + PRÉPOSITION + NOM Seul le premier nom prend la marque du pluriel. ⚠ : *des tête-à-tête.*	*des arcs-en-ciel*
VERBE + NOM Le verbe reste au singulier, le nom est au singulier ou au pluriel suivant le sens. ⟶ Tolérances orthographiques, paragraphe 389.	*des gratte-papier* (on gratte du papier) *des porte-parapluies* (ustensile destiné à recevoir plusieurs parapluies)
MOT INVARIABLE (ADVERBE, PRÉPOSITION) + NOM L'adverbe ou la préposition restent invariables, le nom peut être au singulier ou au pluriel. ⟶ Tolérances orthographiques, paragraphe 389.	*des arrière-pensées* *des après-midi*
NOM + ADJECTIF OU ADJECTIF + NOM Les deux mots prennent la marque du pluriel. ⚠ Placés devant le nom, *demi* et *semi* sont invariables ; *grand* avec un nom féminin peut ne pas prendre la marque du pluriel.	*des marteaux-piqueurs* *des rouges-gorges* ⚠ *des demi-journées* *des grand(s)-mères*
ADJECTIF + ADJECTIF Généralement, les deux mots prennent la marque du pluriel.	*des sourds-muets* ⚠ *des nouveau-nés, des haut-parleurs*
VERBE + VERBE Les deux verbes restent au singulier.	*des laisser-passer*
MOTS ÉTRANGERS Les deux mots restent au singulier. ⟶ Tolérances orthographiques, paragraphe 391.	*des post-scriptum* ⚠ *des pull-overs, des week-ends*

REM Pour l'emploi du trait d'union ⟶ Tolérances orthographiques, paragraphe 389.

286 Pluriel des adjectifs en général

Dans la plupart des cas, on marque le pluriel en ajoutant un -*s*.

SINGULIER	PLURIEL
content	*contents*
grand	*grands*
important	*importants*
petit	*petits*

287 Pluriel des adjectifs en -*s* ou en -*x* : un gros chien, de gro*s* chiens, un enfant capricieu*x*, des enfants capricieu*x*

Les adjectifs qui se terminent par un -*s* ou un -*x* au singulier ne changent pas d'orthographe au pluriel.

SINGULIER	PLURIEL
un coup bas	*des coups bas*
un repas délicieux	*des repas délicieux*
un fait divers	*des faits divers*
un temps orageux	*des temps orageux*
un rapport précis	*des rapports précis*

288 Pluriel des adjectifs en -*eau* : b*eau*, b*eaux*

Tous les adjectifs se terminant par -*eau* ont leur pluriel en -*eaux*.

SINGULIER	PLURIEL
un beau paysage	*de beaux paysages*
un nouveau voisin	*de nouveaux voisins*

289 Pluriel des adjectifs en -*al* : spéci*al*, spéci*aux*

Les adjectifs se terminant par -*al* ont généralement leur pluriel en -*aux*.

SINGULIER	PLURIEL
un trait vertical	*des traits verticaux*
un sourire amical	*des sourires amicaux*

⚠ Il existe cependant sept adjectifs en -*al* qui font leur pluriel en -*als* : *banal, bancal, fatal, final, glacial, natal, naval.*

290 Pluriel des adjectifs qualifiant plusieurs noms : Le garçon et la fille sont *charmants*.

Quand l'adjectif qualifie plusieurs noms, il suffit qu'un seul des noms soit masculin pour que l'adjectif soit au masculin pluriel.

Le lion, la lionne et la panthère sont dangereux.
nom masculin + nom féminin + nom féminin = adjectif masculin pluriel

DÉTAILS DES RÈGLES	EXEMPLES
Si tous les noms sont au masculin, l'adjectif est au masculin pluriel.	*Le chien et le chat sont beaux.*
Si un des noms au moins est au masculin, l'adjectif est au masculin pluriel.	*Le chien et la chatte sont beaux.*
Si tous les noms sont au féminin, l'adjectif est au féminin pluriel.	*La chienne et la chatte sont belles.*

291 Pluriel des adjectifs numéraux : *un, deux, trois...*

Les adjectifs numéraux sont invariables à l'exception de *vingt* et de *cent*.

les quatre enfants

292 Accord de *cent*

DÉTAILS DES RÈGLES	EXEMPLES
L'adjectif numéral *cent* s'accorde s'il est multiplié et s'il n'est suivi d'aucun chiffre.	*trois cents* *un million cinq mille deux cents*
Il reste invariable s'il est multiplié et s'il est suivi par d'autres chiffres.	*trois cent vingt* *un million cinq mille deux cent quarante-six*

293 Accord de *quatre-vingts*

- L'adjectif numéral *quatre-vingts* s'accorde s'il n'est suivi d'aucun chiffre.

quatre-vingts
mille cinq cent quatre-vingts

- Il reste invariable s'il est suivi par d'autres chiffres.

quatre-vingt-six
cinq mille cent quatre-vingt-quatre

REM   Les noms *millier, million* et *milliard* s'accordent :

La région parisienne compte plusieurs millions d'habitants.

→ L'emploi du trait d'union dans l'écriture des nombres, paragraphe 322.

294   Pluriel des adjectifs de couleur : bleu, bleu*s*

L'adjectif de couleur s'accorde généralement avec le nom qu'il qualifie :

des volets verts

L'adjectif est invariable dans les deux cas suivants :
- s'il dérive d'un nom de fruit, de fleur, de pierre précieuse...

des tissus marron (de la couleur du marron)
des nappes topaze (de la couleur de la topaze)

⚠ *fauve, mauve, pourpre, rose* s'accordent.

- s'il est formé de deux adjectifs

des yeux bleu foncé
des tissus vert clair , vert foncé

295 Accord du verbe aux temps simples : règle générale

- Le verbe est à un temps simple quand il se présente sous la forme d'un seul mot à chaque personne : *ils chantent*.
- Le verbe s'accorde en personne (1re, 2e, 3e) et en nombre (singulier, pluriel) avec son sujet. La terminaison du verbe varie aussi en fonction du mode et du temps.

296 Accord avec un sujet à la 3e personne du pluriel : ils mange*nt*.

On trouve -*nt* à la fin d'un verbe conjugué à la 3e personne du pluriel, à tous les temps simples.

ils mangent, ils crieront, ils chantaient, ils parlèrent

REM   À la 3e personne du pluriel, le sujet peut être :
– un pronom : *ils chantent, elles pleuraient, ils crieront.*
– un nom : *Les chiens aboient.*
– un groupe nominal (plusieurs mots regroupés autour d'un nom qui est le sujet) : *Les amis de mes enfants arriveront demain.*
– plusieurs noms reliés par *et, ou, ni : Paul et Virginie viendront. Paul ou Virginie venaient. Ni Paul ni Virginie ne viennent.*

297 Accord avec un sujet à la 1re personne du pluriel : nous chanto*ns*

On trouve -*ns* à la fin d'un verbe conjugué à la 1re personne du pluriel, à tous les temps simples sauf au passé simple.

nous mangeons, nous chantions, nous crierons

REM   À la 1re personne du pluriel, le sujet peut être :
– un pronom : *Nous viendrons demain.*
– plusieurs noms ou pronoms dont *moi :*

Paul et moi (nous) chantons.	*Toi et moi (nous) mangions.*
Lui et moi (nous) partons.	*Les enfants et moi (nous) viendrons.*

298 Accord avec un sujet à la 2e personne du pluriel : vous chant*ez*

On trouve généralement -*ez* à la fin d'un verbe conjugué à la 2e personne du pluriel, à tous les temps simples sauf au passé simple.

vous mangez, vous chantiez, vous crierez

⚠ *vous faites, vous dites, vous défaites, vous redites...*

REM   À la 2e personne du pluriel, le sujet peut être :
– un pronom : *Vous viendrez demain.*
– plusieurs noms ou pronoms (sauf *moi*) dont *toi* :
Paul et toi (vous) chanterez.
Lui et toi (vous) chantiez.
Les enfants et toi (vous) chantez.

299 Accord avec le pronom relatif *qui* : C'est toi *qui* jouer*as*.

Le verbe s'accorde avec le mot que remplace le pronom relatif *qui*. Ce mot se trouve généralement juste devant le pronom relatif *qui*.

C'est toi qui joueras. (Toi = tu → tu joueras)

L'équipe qui a perdu ne jouera plus.
qui remplace « équipe » = « elle » 3e pers. sing.

Les équipes qui ont perdu ne joueront plus.
qui remplace « équipes » = « elles » 3e pers. plur.

C'est moi qui ne jouerai plus.
qui remplace « moi » = « je » 1re pers. sing.

C'est toi qui ne joueras plus.
qui remplace « toi » = « tu » 2e pers. sing.

C'est Paul et moi qui ne jouerons plus.
qui remplace « Paul et moi » = « nous » 1re pers. plur.

C'est Paul et toi qui ne jouerez plus.
qui remplace « Paul et toi » = « vous » 2e pers. plur.

300 Accord du participe passé

- Le verbe est à un temps composé quand il se présente sous la forme d'un participe passé et qu'il se conjugue avec un auxiliaire (*être* ou *avoir*).

Les enfants sont tombés.
Les enfants ont chanté.

- Le participe passé employé avec l'auxiliaire *avoir* ne s'accorde jamais avec le sujet.

Les avions ont survolé la ville.

Mais le participe passé s'accorde en genre et en nombre avec le complément d'objet direct (COD) si celui-ci est placé avant le verbe.
On trouve le COD en posant la question « qui ? » ou « quoi ? » après le verbe.

Les pommes, je les ai mangées.

(J'ai mangé quoi ? *les pommes*, féminin pluriel, remplacé par *les*, pronom personnel COD.)

- Pour le cas des participes passés *laissé*, *fait* + verbe à l'infinitif
→ Tolérances orthographiques, paragraphe 390.

- Le participe passé employé avec l'auxiliaire *être* s'accorde en genre et en nombre avec le sujet.

Des pierres sont tombées sur la route.

REM Les verbes pronominaux suivent des règles d'accord particulières
→ paragraphe 302.

301 Définition des verbes pronominaux : je *me* lave, il *se* tait

Les verbes pronominaux sont accompagnés d'un pronom personnel (*me, te, se*…) qui représente le même être ou la même chose que le sujet.
Aux temps composés, ces verbes se conjuguent toujours avec l'auxiliaire *être*.
Il existe deux types de verbes pronominaux :

- les verbes essentiellement pronominaux qui s'emploient toujours à la forme pronominale : *s'emparer, s'enfuir, se souvenir, s'évanouir*…

L'aigle s'envole et s'empare de sa proie.

- les verbes occasionnellement pronominaux qui s'emploient parfois à la forme pronominale : *se regarder* (le verbe *regarder* existe aussi).

Le lièvre et la tortue se regardent.

302 Accord du participe passé des verbes pronominaux : Sophie s'est regardée dans la glace.

- Le participe passé des verbes essentiellement pronominaux (qui ne s'emploient qu'à la forme pronominale) s'accorde en genre et en nombre avec le sujet.

Les mouettes se sont envolées.
féminin pluriel

- Le participe passé des verbes qui s'emploient parfois à la forme pronominale s'accorde en genre et en nombre avec le sujet seulement si le pronom placé devant le verbe est complément d'objet direct (COD). On trouve le COD en posant la question « qui ? » ou « quoi ? » après le verbe.

Elles se sont lavées.
(Elles ont lavé qui ? *elles-mêmes*, féminin pluriel, remplacé par *se*, pronom COD.)

Elles se sont lavé les mains.
(Elles ont lavé les mains à qui ? à *elles-mêmes*, remplacé par *se* : le pronom n'est pas COD, pas d'accord.)

303 Participes passés toujours invariables

Certains verbes pronominaux ne peuvent jamais avoir de complément d'objet direct (COD). Ils ne peuvent donc pas s'accorder avec un COD, et leurs participes passés sont invariables. En voici la liste.

s'en vouloir
s'entre-nuire
se complaire
se convenir
se déplaire (déplaire à soi)
se nuire
se parler (parler à soi)
se plaire (plaire à soi)
se ressembler
se sourire
se succéder
se suffire
se survivre

Les homophones grammaticaux sont des mots qui se prononcent de manière identique mais qui ne s'écrivent pas de la même façon et qui n'appartiennent pas à la même classe grammaticale.

304 *a et à*

QUELLE EST LA DIFFÉRENCE DE NATURE ?	COMMENT LES DISTINGUER ?
a est une forme conjuguée du verbe *avoir*.	Si l'on met la phrase à l'imparfait : – *a* devient *avait*. *Mon fils a mal aux dents.* *Mon fils avait mal aux dents.*
à, avec un accent grave, est une préposition invariable.	– *à* ne change pas. *Je parle à mes enfants.* *Je parlais à mes enfants.*

305 *ce (c') et se (s')*

QUELLE EST LA DIFFÉRENCE DE NATURE ?	COMMENT LES DISTINGUER ?
ce est un adjectif démonstratif qui détermine un nom masculin.	Si l'on remplace le nom masculin qu'il détermine par un nom féminin, *ce* devient *cette*. *Ce travail est intéressant.* *Cette activité est intéressante.*
ce ou *c'*, placés devant le verbe *être*, sont des pronoms démonstratifs.	*ce* ou *c'* peuvent être remplacés par *cela*. *Ce n'est pas bon. (C'est bon.)* *Cela n'est pas bon. (Cela est bon.)*
se ou *s'* sont des pronoms personnels réfléchis à la troisième personne du singulier, utilisés devant le verbe dans la conjugaison pronominale.	Si l'on remplace le sujet par *je* ou *tu*, *se* devient *me* ou *te*, *s'* devient *m'* ou *t'*. *Les enfants se lèvent tôt ; ils s'habillent.* *Je me lève tôt ; je m'habille.* *Tu te lèves tôt ; tu t'habilles.*

306 c'est et s'est

QUELLE EST LA DIFFÉRENCE DE NATURE ?

COMMENT LES DISTINGUER ?

c'est est formé de c', pronom démonstratif, et de est, forme conjuguée du verbe être.

c'est peut être remplacé par cela est.
C'est ma maison.
Cela est ma maison.

s'est est formé de s', pronom personnel réfléchi, et de est, forme conjuguée du verbe être.

Si l'on change le sujet par je ou tu, s'est devient me suis ou t'es.
Mon frère s'est caché derrière un arbre.
Je me suis caché derrière un arbre.
Tu t'es caché derrière un arbre.

307 c'était et s'était

QUELLE EST LA DIFFÉRENCE DE NATURE ?

COMMENT LES DISTINGUER ?

c'était est formé de c', pronom démonstratif, et de était, forme conjuguée du verbe être.

c'était peut être remplacé par cela était.
C'était ma maison.
Cela était ma maison.

s'était est formé de s', pronom personnel réfléchi, et de était, forme conjuguée du verbe être.

Si l'on remplace le sujet par je ou tu, s'était devient m'étais ou t'étais.
Il s'était caché derrière un arbre.
Je m'étais caché derrière un arbre.
Tu t'étais caché derrière un arbre.

308 cet et cette

QUELLE EST LA DIFFÉRENCE DE NATURE ?

COMMENT LES DISTINGUER ?

cet est un adjectif démonstratif qui détermine un nom masculin.
cet remplace ce devant un nom masculin commençant par :
– une voyelle : cet avion ;
– un h muet : cet humour.

cet peut être remplacé par un.
Cet homme est généreux.
Un homme est généreux.

cette est un adjectif démonstratif qui détermine un nom féminin.

cette peut être remplacé par une.
Cette femme est généreuse.
Une femme est généreuse.

309 *ces* et *ses*

QUELLE EST LA DIFFÉRENCE DE NATURE ?   COMMENT LES DISTINGUER ?

ces est un adjectif démonstratif qui détermine un nom au pluriel.

Si l'on met au singulier le nom au pluriel qu'il détermine, *ces* devient *cette* ou *ce*.
Ces roses et ces bégonias sont magnifiques.
Cette rose et ce bégonia sont magnifiques.

ses est un adjectif possessif qui détermine un nom au pluriel.

Si l'on met au singulier le nom au pluriel qu'il détermine, *ses* devient *son* ou *sa*.
Il a perdu ses cahiers et ses clés.
Il a perdu son cahier et sa clé.

310 *et* et *est*

QUELLE EST LA DIFFÉRENCE DE NATURE ?   COMMENT LES DISTINGUER ?

et est une conjonction de coordination invariable.

Si l'on met la phrase à l'imparfait :
– *et* ne change pas.
Mon chien et mon chat jouent ensemble.
Mon chien et mon chat jouaient ensemble.

est est une forme conjuguée du verbe être.

– *est* devient *était*.
Elle est venue me voir.
Elle était venue me voir.

311 *la*, *l'a* et *là*

QUELLE EST LA DIFFÉRENCE DE NATURE ?   COMMENT LES DISTINGUER ?

la est un article qui détermine un nom féminin.

Si l'on remplace le nom féminin qu'il détermine par un nom masculin,
la devient *le*.
La petite fille appelle sa maman.
Le petit garçon appelle sa maman.

la devant le verbe est un pronom personnel.

la est toujours devant un verbe conjugué. On peut également remplacer *la* par *le*.
Il prend une tasse de café et la boit.
(verbe *boire*)
Il prend du café et le boit.

QUELLE EST LA DIFFÉRENCE DE NATURE ? | COMMENT LES DISTINGUER ?

l'a est formé de *l'*, pronom personnel, et de *a*, forme conjuguée du verbe *avoir*.

Si l'on met la phrase à l'imparfait :
– *l'a* devient *l'avait*.
Cette histoire, il me l'a racontée hier.
Cette histoire, il me l'avait racontée hier.

là indique le lieu, c'est un adverbe.

– *là* peut être remplacé par *ici*.
C'est là que je l'ai vu pour la dernière fois.
C'est ici que je l'ai vu pour la dernière fois.

312 *leur* et *leurs*

QUELLE EST LA DIFFÉRENCE DE NATURE ? | COMMENT LES DISTINGUER ?

leur, pronom personnel invariable, est toujours placé devant un verbe.

Si l'on met au singulier le nom au pluriel qu'il remplace, *leur* devient *lui*.
Mes professeurs m'interrogent, je leur réponds.
Mon professeur m'interroge, je lui réponds.

leur, adjectif possessif est toujours placé devant un nom.
leur s'accorde avec le nom.

leur peut être remplacé par *sa* ou *son*.
leurs peut être remplacé par *ses*.
Il me montre leur chambre.
Il me montre sa chambre.
Ils jouent avec leurs jouets.
Ils jouent avec ses jouets.

313 *on* et *ont*

QUELLE EST LA DIFFÉRENCE DE NATURE ? | COMMENT LES DISTINGUER ?

on est un pronom personnel.

Si l'on met la phrase à l'imparfait :
– *on* ne change pas.
On parle souvent trop.
On parlait souvent trop.

ont est une forme conjuguée du verbe *avoir*.

– *ont* devient *avaient*.
Les voyageurs ont attendu le train.
Les voyageurs avaient attendu le train.

314 *ou* et *où*

QUELLE EST LA DIFFÉRENCE DE NATURE ?

COMMENT LES DISTINGUER ?

ou est une conjonction de coordination qui relie deux mots, deux groupes de mots ou deux propositions.

ou peut être remplacé par *ou bien*.
Je viendrai dimanche ou lundi.
Je viendrai dimanche ou bien lundi.

où est un adverbe interrogatif qui indique le lieu et sert à poser une question.

où ne peut pas être remplacé par *ou bien*.
Où habites-tu ?

où est un pronom relatif qui indique le lieu et introduit une proposition relative.

où ne peut pas être remplacé par *ou bien*.
Montre-moi l'endroit où tu habites.

315 *peut* et *peu*

QUELLE EST LA DIFFÉRENCE DE NATURE ?

COMMENT LES DISTINGUER ?

peut est la forme conjuguée du verbe *pouvoir* à la 3ᵉ personne du singulier du présent de l'indicatif.

Si l'on met la phrase à l'imparfait :
– *peut* devient *pouvait*.
Mon chien peut te mordre.
Mon chien pouvait te mordre.

peu est un adverbe invariable.

– *peu* ne varie pas.
J'ai peu d'argent à te donner.
J'avais peu d'argent à te donner.

316 *quand*, *quant* et *qu'en*

QUELLE EST LA DIFFÉRENCE DE NATURE ?

COMMENT LES DISTINGUER ?

quand est une conjonction qui exprime le temps ou interroge sur lui.

REM   Devant une voyelle, le *d* se prononce [t]. *Quand ils viendront…*

On peut remplacer *quand* par *lorsque* ou par *quel jour, à quelle heure…* dans une phrase interrogative.
Quand le soleil se lèvera, nous partirons.
Lorsque le soleil se lèvera, nous partirons.
Quand le soleil se lèvera-t-il ?
À quelle heure le soleil se lèvera-t-il ?

quant à est une locution prépositive.

quant à peut être remplacé par *en ce qui concerne*.
Quant à ton frère, je l'attends de pied ferme.
En ce qui concerne ton frère, je l'attends de pied ferme.

QUELLE EST LA DIFFÉRENCE DE NATURE ?	COMMENT LES DISTINGUER ?
qu'en est formé de *que* (conjonction de subordination ou pronom interrogatif) et de *en*, pronom personnel.	*qu'en* est l'équivalent de *que... de cela*. *Nous partirions jeudi. Qu'en penses-tu?* = *Que penses-tu de cela (de cette date, de notre proposition) ?*
qu'en peut être aussi formé de *que* + *en*, préposition introduisant un gérondif.	*qu'en* peut être remplacé par *que... en* (ou *qu'... en*) si l'on change de place les mots qui suivent. *Il croit qu'en avançant il se protégera. Il croit qu'il se protégera en avançant.*

317 qu'elle, quel, quelle

QUELLE EST LA DIFFÉRENCE DE NATURE ?	COMMENT LES DISTINGUER ?
qu'elle est formé de *qu'*, pronom relatif, et du pronom personnel sujet *elle*.	*qu'elle* peut être remplacé par *qu'il*. *Je pense qu'elle va venir. Je pense qu'il va venir.*
quel est un adjectif exclamatif ou interrogatif qui détermine un nom masculin.	*quel* ne peut pas être remplacé par *qu'il*. *Quel film ! Quel train prends-tu ?*
quelle est un adjectif exclamatif ou interrogatif qui détermine un nom féminin.	*quelle* ne peut pas être remplacé par *qu'il*. *Quelle aventure ! Quelle heure est-il ?*

318 sa, ça et çà

QUELLE EST LA DIFFÉRENCE DE NATURE ?	COMMENT LES DISTINGUER ?
sa est un adjectif possessif qui détermine un nom féminin.	*sa* peut être remplacé par *son* + nom masculin. *Mon père lave sa voiture. Mon père lave son camion.*
ça est un pronom démonstratif.	*ça* peut être remplacé par *cela*. *Ça m'ennuie beaucoup. Cela m'ennuie beaucoup.*
çà est un adverbe, employé dans l'expression *çà et là*, qui indique le lieu.	*çà* peut être remplacé par *ici*. *Je trouvais des champignons çà et là. Je trouvais des champignons ici et là.*

REM *çà* peut être employé comme interjection : *çà alors !*

319 sans et s'en

sans est une préposition.	*sans* est le contraire de *avec*. Il peut se trouver devant un nom ou devant un verbe à l'infinitif. *Il boit son café sans sucre.* *Il boit son café avec du sucre.* *Il est parti sans payer son repas.*
s'en est formé du pronom *s'* (appartenant à un verbe pronominal) et de *en*, pronom personnel.	*s'en* est toujours placé devant un verbe conjugué. *Son dictionnaire, il ne s'en sert jamais.*

320 son et sont

QUELLE EST LA DIFFÉRENCE DE NATURE ? | COMMENT LES DISTINGUER ?

son est un adjectif possessif.	Si l'on met la phrase à l'imparfait : – *son* ne change pas. *Son père travaille avec le mien.* *Son père travaillait avec le mien.*
sont est une forme conjuguée du verbe être.	– *sont* devient *étaient*. *Mes enfants sont partis au collège.* *Mes enfants étaient partis au collège.*

321 tout et tous

QUELLE EST LA DIFFÉRENCE DE NATURE ? | COMMENT LES DISTINGUER ?

tout est un pronom indéfini sujet ou complément du verbe. Il est invariable.	*tout* peut être remplacé par *le tout*. *Gardez tout.* *Gardez le tout.*
tout est un adverbe. Il est invariable, sauf devant un nom féminin commençant par une consonne (*toute* triste, *toutes* tristes).	*tout* peut être remplacé par *complètement* ou *vraiment*. *Ils étaient tout étonnés.* *Ils étaient vraiment étonnés.*
tous est un adjectif indéfini. Il qualifie toujours un nom pluriel.	Devant *les* + un nom, on écrit *tous*. *Tous les amis étaient venus.*

322 Emploi du trait d'union : D'où venez-vous ?

- Le trait d'union apparaît entre le verbe et un pronom sujet à la forme interrogative.

Comment a t il su ?   *Comment partirons-nous ?*   *Qui a-t-il appelé ?*
Où allez-vous ?   *Quand mange-t-on ?*   *Qu'avez-vous vu ?*

⚠ Le *t* entre deux traits d'union évite que deux voyelles ne se suivent.

- On doit mettre un trait d'union entre le verbe et un pronom complément à l'impératif.

Prends en.   *Allez-vous-en.*   *Allez-y.*   *Crois-le.*   *Donne-m'en.*

- Le trait d'union est obligatoire dans les mots composés avec *ci* ou *là*.

celui ci	*par-ci*	*ci-après*	*ci-gît*	*ces jours-là*	*là-dessus*
ceux ci	*ci-dessus*	*ci-devant*	*celui là*	*par-là*	*là-haut*
ces jours-ci	*ci-contre*	*ci-joint*	*ceux-là*	*là-bas*	*là-dedans*

- Le trait d'union doit figurer entre un pronom personnel et *même*.

moi même	*lui-même*	*nous-mêmes*	*eux-mêmes*
toi-même	*elle même*	*vous-même(s)*	*elles-mêmes*

- Il est d'usage de placer un trait d'union dans les noms des nombres composés inférieurs à 100 et juxtaposés. → Tolérances orthographiques, paragraphe 392.

mille cent vingt six   *soixante-dix-neuf*   *soixante-six*
quatre cent cinquante-deux   *quatre-vingt-treize*   *cent quatre-vingt-huit*

- Dans les mots composés, il faut toujours un trait d'union après :
  - *demi* et *semi* ;   *un demi litre, un semi remorque*
  - *ex* ;   *mon ex femme*
  - *non* (devant un nom) ;   *un non sens*
  - *pro* (devant une voyelle).   *pro américain*

REM   Pour vous assurer de l'orthographe d'un mot composé → paragraphes 394 et 59.

323 Règle générale d'emploi de la majuscule
La majuscule se trouve :
- au début des phrases

Le train entre en gare.

- au début des noms propres

Elle s'appelle Marie.

324 Majuscule au début des phrases
On met une majuscule :
- à la première lettre du premier mot d'une phrase

Mon chien s'est sauvé.

- après deux-points ou un tiret qui annoncent des paroles rapportées

Elle m'a répondu : « Je ne viendrai pas. »

- au début des vers dans la poésie classique

Maître Corbeau, sur un arbre perché,
Tenait en son bec un fromage.

325 Majuscule au début des noms propres
On met une majuscule :
- à la première lettre d'un nom et/ou prénom de personne

A. Durant   *Jacqueline Dupont*

⚠ *Jean de La Fontaine, J.-M.G. Le Clézio.*

REM — Dans les noms propres composés, la préposition ne prend pas de majuscule.
Charles de Gaulle
— Dans les surnoms composés, l'article ne prend pas de majuscule.
Pierrot le Fou   *Charles le Sage*

- à la première lettre des titres

  Madame le Préfet

  Votre Altesse

  M. le Comte

- à la première lettre des noms de lieux, de monuments historiques ou d'institutions

  la Loire

  la France

  la Bastille

  le Colisée

  l'Assemblée nationale

⚠ Dans les noms de lieux composés, chaque nom prend une majuscule mais l'article ou la préposition ne prennent pas de majuscule.

  Sainte-Foy-la-Grande

  Trouville-sur-Mer

  le Loir-et-Cher

- à la première lettre des noms d'institutions

  l'Académie française

  la Sécurité sociale

- à la première lettre des noms désignant des périodes historiques

  les guerres de Religion

  la Libération

  la Renaissance

REM Pour l'emploi du trait d'union dans les mots composés → Tolérances orthographiques, paragraphe 389.

326 Les affixes des trois groupes de verbes

Toute forme verbale peut se décomposer en différents éléments : les radicaux (en noir) et les affixes (en rouge). Ces éléments peuvent varier d'une personne à l'autre, d'un temps à l'autre, d'un groupe de verbes à l'autre.

Ier groupe	2e groupe	3e groupe			
INDICATIF **présent**					
aim-e	fini-s	ouvr-e	dor-s	met-s	veu-x
aim-es	fini-s	ouvr-es	dor-s	met-s	veu-x
aim-e	fini-t	ouvr-e	dor-t	met	veu-t
aim-ons	fini-ss-ons	ouvr-ons	dorm-ons	mett-ons	voul-ons
aim-ez	fini-ss-ez	ouvr-ez	dorm-ez	mett-ez	voul-ez
aim-ent	fini-ss-ent	ouvr-ent	dorm-ent	mett-ent	veul-ent
imparfait					
aim-ai-s	fini-ss-ai-s	ouvr-ai-s			
aim-ai-s	fini-ss-ai-s	ouvr-ai-s			
aim-ai-t	fini-ss-ai-t	ouvr-ai-t			
aim-i-ons	fini-ss-i-ons	ouvr-i-ons			
aim-i-ez	fini-ss-i-ez	ouvr-i-ez			
aim-ai-ent	fini-ss-ai-ent	ouvr-ai-ent			
passé simple					
aim-ai	fin-is	ouvr-is	voul-us	t-ins	
aim-as	fin-is	ouvr-is	voul-us	t-ins	
aim-a	fin-it	ouvr-it	voul-ut	t-int	
aim-âmes	fin-îmes	ouvr-îmes	voul-ûmes	t-înmes	
aim-âtes	fin-îtes	ouvr-îtes	voul-ûtes	t-întes	
aim-èrent	fin-irent	ouvr-irent	voul-urent	t-inrent	
futur simple					
aim-er-ai	fini-r-ai	ouvri-r-ai			
aim-er-as	fini-r-as	ouvri-r-as			
aim-er-a	fini-r-a	ouvri-r-a			
aim-er-ons	fini-r-ons	ouvri-r-ons			
aim-er-ez	fini-r-ez	ouvri-r-ez			
aim-er-ont	fini-r-ont	ouvri-r-ont			

Ier groupe	2e groupe	3e groupe			
CONDITIONNEL présent					
aim-er-ai-s	fini-r-ai-s	ouvri-r-ai-s			
aim-er-ai-s	fini-r-ai-s	ouvri-r-ai-s			
aim-er-ai-t	fini-r-ai-t	ouvri-r-ai-t			
aim-er-i-ons	fini-r-i-ons	ouvri-r-i-ons			
aim-er-i-ez	fini-r-i-ez	ouvri-r-i-ez			
aim-er-ai-ent	fini-r-ai-ent	ouvri-r-ai-ent			
SUBJONCTIF présent					
aim-e	fini-ss-e	ouvr-e			
aim-es	fini-ss-es	ouvr-es			
aim-e	fini-ss-e	ouvr-e			
aim-i-ons	fini-ss-i-ons	ouvr-i-ons			
aim-i-ez	fini-ss-i-ez	ouvr-i-ez			
aim-ent	fini-ss-ent	ouvr-ent			
imparfait					
aim-a-ss-e	fini-ss-e	ouvr-i-ss-e	t-in-ss-e	voul u-ss-e	
aim-a-ss-es	fini-ss-es	ouvr-i-ss-es	t-in-ss-es	voul-u-ss-es	
aim-â-t	fini-t	ouvr-î-t	t-în-t	voul-û-t	
aim-a-ss-i-ons	fini-ss-i-ons	ouvr-i-ss-i-ons	t-in-ss-i-ons	voul-u-ss-i-ons	
aim-a-ss-i-ez	fini-ss-i-ez	ouvr-i-ss-i-ez	t-in-ss-i-ez	voul-u-ss-i-ez	
aim-a-ss-ent	fini-ss-ent	ouvr-i-ss-ent	t-in-ss-ent	voul-u-ss-ent	
IMPÉRATIF présent					
aim-e	fini-s	ouvr-e	dor-s		
aim-ons	fini-ss-ons	ouvr-ons	dorm-ons		
aim-ez	fini-ss-ez	ouvr-ez	dorm-ez		
PARTICIPE présent					
aim-ant	fini-ss-ant	ouvr-ant			
passé					
aim-é	fin-i	dorm-i	ten-u	pri-s	écri-t
				clo-s	ouver-t
				absou-s	mor-t
INFINITIF présent					
aim-e-r	fin-i-r	ouvr-i-r	voul-oi-r	croi-r-e	

327 Verbes en -*cer* : je pla*c*e, nous pla*ç*ons

Les verbes se terminant par -*cer* (*placer, annoncer, déplacer...*) prennent une cédille sous le *c* (*ç*) devant *a* et *o* :

- à la 1re personne du pluriel du présent de l'indicatif ; *nous plaçons*
- aux trois personnes du singulier et à *je plaçais*
  la 3e personne du pluriel de l'imparfait de l'indicatif ;
- aux trois personnes du singulier et aux deux premières *je plaçai*
  personnes du pluriel du passé simple de l'indicatif ;
- à toutes les personnes de l'imparfait du subjonctif ; *que je plaçasse*
- à la 1re personne du pluriel du présent de l'impératif ; *plaçons*
- au participe présent. *plaçant*

328 Verbes en -*ger* : je mange, nous man*g*eons

Les verbes se terminant par -*ger* (*manger, nager, bouger...*) conservent leur *e* après le *g* devant *a* et *o* :

- à la 1re personne du pluriel du présent de l'indicatif ; *nous mangeons*
- aux trois personnes du singulier et à *je mangeais*
  la 3e personne du pluriel de l'imparfait de l'indicatif ;
- aux trois personnes du singulier et aux deux premières *je mangeai*
  personnes du pluriel du passé simple de l'indicatif ;
- à toutes les personnes de l'imparfait du subjonctif ; *que je mangeasse*
- à la 1re personne du pluriel du présent de l'impératif ; *mangeons*
- au participe présent. *mangeant*

329 Verbes en -*e* + *consonne* + *er* : je pèse, nous pesons

Les verbes se terminant par -*e* + *consonne* + *er* (*peser, semer, sevrer...*), qui se conjuguent sur le modèle de *peser*, changent le premier *e* (le *e* du radical) en *è* :

- aux trois personnes du singulier et à *je pèse*
  la 3e personne du pluriel du présent de l'indicatif ;
- à toutes les personnes du futur simple de l'indicatif ; *je pèserai*
- aux trois personnes du singulier et à la 3e personne *que je pèse*
  du pluriel du présent du subjonctif ;
- à toutes les personnes du présent du conditionnel ; *je pèserais*
- à la 2e personne du singulier du présent de l'impératif. *pèse*

⚠ Les verbes se terminant par -*eler* et -*eter* → paragraphes 331, 332.

330 Verbes en -*é* + *consonne* + *er* : je cède, nous cédons

Les verbes se terminant par -*é* + *consonne* + *er* (céder, célébrer, régler…),
qui se conjuguent sur le modèle de céder, changent le *é* en *è* :

- aux trois personnes du singulier et à la 3e personne   *je cède*
  du pluriel du présent de l'indicatif ;
- aux trois personnes du singulier et à la 3e personne   *que je cède*
  du pluriel du présent du subjonctif ;
- à la 2e personne du singulier du présent de l'impératif.   *cède*

REM   La conjugaison de ces verbes peut maintenant s'aligner sur celle de peser
→ Tolérances orthographiques, paragraphe 386.

331 Verbes se terminant par -*eler* : je gèle, j'appelle
Règle I

Les verbes suivants se terminant par -*eler* (*agneler, celer, ciseler, congeler, déceler,
décongeler, dégeler, démanteler, écarteler, geler, harceler, marteler, modeler, peler,
receler, recongeler, regeler, remodeler, surgeler*) changent le premier *e* (le *e* du
radical) en *è* :

- aux trois personnes du singulier et à la 3e personne   *je gèle*
  du pluriel du présent de l'indicatif ;
- à toutes les personnes du futur simple de l'indicatif ;   *je gèlerai*
- aux trois personnes du singulier et à la 3e personne   *que je gèle*
  du pluriel du présent du subjonctif ;
- à toutes les personnes du présent du conditionnel ;   *je gèlerais*
- à la 2e personne du singulier du présent de l'impératif.   *gèle*

Règle 2

Pour tous les autres verbes se terminant par -*eler*, *l* devient *ll* :

- aux trois personnes du singulier et à la 3e personne   *j'appelle*
  du pluriel du présent de l'indicatif ;
- à toutes les personnes du futur simple de l'indicatif ;   *j'appellerai*
- aux trois personnes du singulier et à la 3e personne   *que j'appelle*
  du pluriel du présent du subjonctif ;
- à toutes les personnes du présent du conditionnel ;   *j'appellerais*
- à la 2e personne du singulier du présent de l'impératif.   *appelle*

REM   → Tolérances orthographiques, paragraphe 386 .

332 Verbes en -*eter* : j'achète, je jette
Règle 1
Les verbes suivants se terminant par -*eter* (*acheter, bêcheveter, bégueter, breveter, corseter, duveter (se), crocheter, fileter, fureter, haleter, racheter, recacheter*) changent le premier *e* (le *e* du radical) en *è* :

- aux trois personnes du singulier et à   *j'achète*
  la 3ᵉ personne du pluriel du présent de l'indicatif ;
- à toutes les personnes du futur simple   *j'achèterai*
  de l'indicatif ;
- aux trois personnes du singulier et à   *que j'achète*
  la 3ᵉ personne du pluriel du présent du subjonctif ;
- à toutes les personnes du présent du conditionnel ;   *j'achèterais*
- à la 2ᵉ personne du singulier du présent   *achète*
  de l'impératif.

Règle 2
Pour tous les autres verbes se terminant par -*eter*, *t* devient *tt* :

- aux trois personnes du singulier et à   *je jette*
  la 3ᵉ personne du pluriel du présent de l'indicatif ;
- à toutes les personnes du futur simple   *je jetterai*
  de l'indicatif ;
- aux trois personnes du singulier et à   *que je jette*
  la 3ᵉ personne du pluriel du présent du subjonctif ;
- à toutes les personnes du présent du conditionnel ;   *je jetterais*
- à la 2ᵉ personne du singulier du présent   *jette*
  de l'impératif.

REM   → Tolérances orthographiques, paragraphe 386.

333 Verbes en -*ayer* : je paye ou je paie, nous payons
Pour les verbes se terminant par -*ayer* (*payer, balayer, rayer*…), qui se conjuguent sur le modèle de *payer*, deux conjugaisons sont possibles : le *y* est conservé à tous les modes et à tous les temps ; le *y* se change en *i* devant un *e* muet (que l'on n'entend pas) :

- aux trois personnes du singulier et à   *je paye ou je paie*
  la 3ᵉ personne du pluriel du présent de l'indicatif ;
- à toutes les personnes du futur simple   *je payerai ou je paierai*
  de l'indicatif ;

- aux trois personnes du singulier et à
  la 3ᵉ personne du pluriel du présent du subjonctif ;
  que je paye ou que je paie
- à toutes les personnes du présent du conditionnel ;
  je payerais ou je paierais
- à la 2ᵉ personne du singulier du présent
  de l'impératif.
  paye ou paie

REM   Le *y* est suivi d'un *i* :
  – aux deux premières personnes du pluriel de l'imparfait de l'indicatif ;
  nous payions, vous payiez
  – aux deux premières personnes du pluriel du présent du subjonctif.
  que nous payions, que vous payiez

334 Verbes en -*oyer* et en -*uyer* : j'aboie, nous essuyons

Pour les verbes se terminant par -*oyer* et -*uyer* (*aboyer, essuyer*…),
le *y* se change en *i* devant un *e* muet (que l'on n'entend pas) :

- aux trois personnes du singulier et à
  la 3ᵉ personne du pluriel du présent de l'indicatif ;
  j'aboie, j'essuie
- à toutes les personnes du futur simple
  de l'indicatif ;
  j'aboierai, j'essuierai
- aux trois personnes du singulier et à
  la 3ᵉ personne du pluriel du présent du subjonctif ;
  que j'aboie, que j'essuie
- à toutes les personnes du présent du conditionnel ;
  j'aboierais, j'essuierais
- à la 2ᵉ personne du singulier du présent
  de l'impératif.
  aboie, essuie

REM   Le *y* est suivi d'un *i* :
  – aux deux premières personnes du pluriel de l'imparfait de l'indicatif ;
  nous aboyions, vous aboyiez, nous essuyions, vous essuyiez
  – aux deux premières personnes du pluriel du présent du subjonctif.
  que nous aboyions, que vous aboyiez, que nous essuyions, que vous essuyiez

335 **Verbes en -*eyer* : je fase*y*e, nous fase*y*ons**

Pour les verbes se terminant par -*eyer* (*volleyer, faseyer*), le *y* est conservé à tous les modes et à tous les temps.

je faseye

Le *y* est suivi d'un *i* :
– aux deux premières personnes du pluriel de l'imparfait de l'indicatif ;
nous faseyions, vous faseyiez
– aux deux premières personnes du pluriel du présent du subjonctif.
que nous faseyions, que vous faseyiez

336 **Verbe *haïr* : je ha*i*s, nous ha*ï*ssons**

Dans la conjugaison du verbe *haïr*, le *ï* devient *i* :

- aux trois personnes du singulier du présent de l'indicatif ;   *je hais, tu hais, il hait*

- à la 2ᵉ personne du singulier du présent de l'impératif.   *hais*

Le *ï* se maintient à toutes les autres personnes du présent et de l'impératif, ainsi qu'à tous les autres temps.

haïssez, nous haïssons

Le *h* du verbe *haïr* est dit « aspiré » : il ne s'élide pas.
je hais ≠ j'aime
La présence du tréma change la prononciation du radical.
je hais [ɛ], *nous haïssons* [aisɔ̃]

337 **Verbes en -*tir* : je sors, nous sortons**

Les verbes se terminant par -*tir* (*mentir, sortir, partir*…), qui se conjuguent sur le modèle de *partir*, perdent leur *t* :

- aux deux premières personnes du singulier du présent de l'indicatif ;   *je pars, tu pars*

- à la 2ᵉ personne du singulier de l'impératif.   *pars*

⚠ Les verbes *vêtir*, *dévêtir* et *revêtir* conservent le *t*.
je vêts, tu vêts, vêts

338 Verbes *mourir* et *courir* : je mou*rr*ai, je cou*rr*ai

Pour les verbes *mourir*, *courir* et ceux de la famille de *courir* (*parcourir*, *secourir...*), le *r* devient *rr* :

- à toutes les personnes du futur simple de l'indicatif ;   *je mourrai, je courrai*
- à toutes les personnes du présent du conditionnel.   *je mourrais, je courrais*

339 Verbes *fuir, s'enfuir, croire* et verbes en *-raire* : je fu*i*s, je fu*y*ais, je cro*i*s, je cro*y*ais, je tra*i*s, je tra*y*ais

Dans la conjugaison des verbes *fuir, s'enfuir, croire* et des verbes se terminant par *-raire* (*traire, distraire...*), le *i* se change en *y* :

- aux deux premières personnes du pluriel du présent de l'indicatif ;   *nous fuyons, vous fuyez*
- à toutes les personnes de l'imparfait de l'indicatif ;   *je fuyais*
- aux deux personnes du pluriel du présent de l'impératif.   *fuyons, fuyez*

Le *y* est suivi d'un *i* :
— aux deux premières personnes du pluriel de l'imparfait de l'indicatif ;
nous fuyions, vous fuyiez
— aux deux premières personnes du pluriel du présent du subjonctif.
que nous fuyions, que vous fuyiez

340 Verbes en *-cevoir* : je reçois, nous recevons

Les verbes se terminant par *-cevoir* (*recevoir, apercevoir, décevoir...*) prennent une cédille sous le *c* (*ç*) devant *a, o* et *u* :

- aux trois personnes du singulier et à la 3e personne du pluriel du présent de l'indicatif ;   *je reçois*
- à toutes les personnes du passé simple de l'indicatif ;   *je reçus*
- aux trois personnes du singulier et à la 3e personne du pluriel du présent du subjonctif ;   *que je reçoive*
- à toutes les personnes de l'imparfait du subjonctif ;   *que je reçusse*
- à la 2e personne du singulier du présent de l'impératif ;   *reçois*
- au participe passé.   *reçu*

341 Verbes *devoir* et *redevoir* : d*û*, red*û*

Les participes passés des verbes *devoir* et *redevoir* s'écrivent avec un accent circonflexe (^) au masculin singulier (mais ni au féminin, ni au pluriel).

dû, redû

342 Verbes *s'asseoir* et *se rasseoir* : je m'ass*ieds* ou je m'ass*ois*

Règle I

Les verbes *s'asseoir* et *se rasseoir* ont deux conjugaisons possibles, à toutes les personnes des temps suivants :

	PREMIÈRE FORME	DEUXIÈME FORME
• le présent de l'indicatif ;	*je m'assieds*	*je m'assois*
• l'imparfait de l'indicatif ;	*je m'asseyais*	*je m'assoyais*
• le futur simple de l'indicatif ;	*je m'assiérai*	*je m'assoirai*
• le présent du subjonctif ;	*que je m'asseye*	*que je m'assoie*
• le présent du conditionnel ;	*je m'assiérais*	*je m'assoirais*
• l'impératif présent ;	*assieds*	*assois*
• le participe présent.	*asseyant*	*assoyant*

Règle 2

Dans les deux formes, le *i* devient *y* :

	PREMIÈRE FORME	DEUXIÈME FORME
• aux deux premières personnes du pluriel du présent de l'indicatif ;	*nous nous asseyons*	*nous nous assoyons*
• à l'imparfait de l'indicatif ;	*je m'asseyais*	*je m'assoyais*
• aux deux personnes du pluriel du présent de l'impératif.	*asseyez-vous*	*assoyez-vous*

Règle 3

Dans la première forme, le *i* devient *y* à la 3e personne du pluriel du présent de l'indicatif et à toutes les personnes du présent du subjonctif.

ils s'asseyent, que je m'asseye

Règle 4

Dans la deuxième forme, le *i* devient *y* aux deux premières personnes du pluriel du présent du subjonctif.

que vous vous assoyez

REM *ey* est suivi d'un *i* :

	PREMIÈRE FORME	DEUXIÈME FORME
– aux deux premières personnes du pluriel de l'imparfait de l'indicatif ;	*nous nous asseyions*	*nous nous assoyions*
– aux deux premières personnes du pluriel du présent du subjonctif.	*que n. n. asseyions*	*que n. n. assoyions*

343 Verbe *surseoir* : je sursois, nous sursoyons, je surseoirai
Règle I
Le verbe *surseoir* garde le *e* du radical :

- au futur simple de l'indicatif ;   *je surseoirai*
- au présent du conditionnel.   *je surseoirais*

   Il le perd à tous les autres temps.

Règle 2
Le *i* se change en *y* :

- aux deux premières personnes du pluriel   *nous sursoyons*
  du présent de l'indicatif ;
- à toutes les personnes de l'imparfait de l'indicatif ;   *je sursoyais*
- aux deux premières personnes du pluriel   *que nous sursoyons*
  du présent du subjonctif ;
- aux deux personnes du pluriel du présent   *sursoyez*
  de l'impératif.

REM   Le *y* est suivi d'un *i* aux deux premières personnes du pluriel de l'imparfait
de l'indicatif et du présent du subjonctif (*nous sursoyions, que nous sursoyions*).

344 Verbes *vaincre* et *convaincre* : je vaincs, nous vainquons
Règle I
Les verbes *vaincre* et *convaincre* conservent le *c* :

- aux trois personnes du singulier du présent   *je vaincs, tu vaincs, il vainc*
  de l'indicatif ;
- à toutes les personnes du futur simple de l'indicatif ; *je vaincrai*
- à toutes les personnes du présent du conditionnel ;   *je vaincrais*
- à la 2ᵉ personne du singulier du présent   *vaincs*
  de l'impératif ;
- au participe passé.   *vaincu*

Règle 2
À toutes les autres personnes et à tous les autres temps, le *c* se change en *qu*.

nous vainquons

REM   Le participe présent de *vaincre* s'écrit avec *qu* : *vainquant*.
L'adjectif verbal (issu du participe présent) s'écrit avec un *c* : *convaincant*.

345 Verbes en *-eindre, -oindre* et *-aindre* : je peins, nous peignons
Règle 1
Dans la conjugaison des verbes se terminant par *-eindre, -oindre* et *-aindre*
(*peindre, joindre, craindre…*), le *d* qui apparaît à l'infinitif se conserve seulement :

- à toutes les personnes du futur de l'indicatif ;   *je peindrai, je joindrai,*
  je craindrai
- à toutes les personnes du présent du conditionnel.   *je peindrais, je joindrais,*
  je craindrais

Règle 2
Ces verbes conservent les sons « ein », « oin » ou « ain » des radicaux :

- aux trois personnes du singulier du présent   *je peins, je joins, je crains*
  de l'indicatif ;
- à la 2ᵉ personne du singulier du présent   *peins, joins, crains*
  de l'impératif ;
- au participe passé.   *peint, joint, craint*

Règle 3
Toutes les autres personnes et tous les autres temps perdent ce son
et ajoutent *gn* au radical : *nous peignons, nous joignons, nous craignons.*

346 Verbes en *-soudre* : j'absous, nous absolvons
Règle 1
Dans la conjugaison des verbes se terminant par *-soudre* (*absoudre, résoudre* et
dissoudre), le *d* se conserve :

- à toutes les personnes du futur de l'indicatif ;   *je dissoudrai*
- à toutes les personnes du présent du conditionnel.   *je dissoudrais*

Règle 2
Ces verbes conservent le son « ou » du radical :

- aux trois personnes du singulier du présent   *je dissous*
  de l'indicatif ;
- à la 2ᵉ personne du singulier du présent   *dissous*
  de l'impératif ;
- au participe passé (sauf *résolu*).   *dissous (dissoute)*

Règle 3
À toutes les autres personnes et à tous les autres temps « ou » devient *olv* :
je résolvais

REM Le passé simple de l'indicatif et l'imparfait du subjonctif des verbes *absoudre* et *dissoudre* n'existent pas.

Pour l'orthographe des participes passés → Tolérances orthographiques, paragraphe 390.

347 Verbes *faire, défaire, refaire* : je fais, vous faites, nous faisions

Le verbe *faire* et les verbes de la même famille perdent le *ai* du radical :

• à la 3ᵉ personne du pluriel du présent de l'indicatif ;	*ils font*
• à toutes les personnes du passé simple de l'indicatif ;	*je fis*
• à toutes les personnes du futur simple de l'indicatif ;	*je ferai*
• à toutes les personnes du présent du subjonctif ;	*que je fasse*
• à toutes les personnes de l'imparfait du subjonctif ;	*que je fisse*
• à toutes les personnes du présent du conditionnel.	*je ferais*

REM À la Iʳᵉ personne du pluriel du présent de l'indicatif et à toutes les personnes de l'imparfait de l'indicatif, on prononce « fe » mais on écrit *fai* : **nous faisons, je faisais**
La 2ᵉ personne du pluriel du présent de l'indicatif est irrégulière : **vous faites**

348 Verbes en *-aître* : je connais, il connaît

Dans la conjugaison des verbes se terminant par *-aître* (*connaître, disparaître, comparaître*...), le *î* du radical se conserve lorsqu'il est suivi d'un *t*.

• à la 3ᵉ personne du singulier du présent de l'indicatif ;	*il connaît*
• à toutes les personnes du futur de l'indicatif ;	*je connaîtrai*
• à toutes les personnes du présent du conditionnel.	*je connaîtrais*

REM → Tolérances orthographiques, paragraphe 385.

349 Verbes *dire* et *redire* : vous dites

Les verbes *dire* et *redire* ont une forme particulière à la 2ᵉ personne du pluriel du présent de l'indicatif et de l'impératif présent.

vous dites, vous redites, dites, redites

Les autres verbes se terminant par *-dire* (*contredire, dédire, interdire, médire, prédire*) sont réguliers à ces personnes.

vous interdisez, contredisez

⚠ *vous maudissez.*

350 Verbe *croître* : je croîs, il croît, crû

Règle I

Le verbe *croître* garde un î :

- aux trois premières personnes du présent de l'indicatif ;   *je croîs*
- à toutes les personnes du futur de l'indicatif ;   *je croîtrai*
- à toutes les personnes du présent du conditionnel ;   *je croîtrais*
- à la 2e personne du singulier de l'impératif présent.   *croîs*

Règle 2

Le verbe c*roître* prend un û :

- à toutes les personnes du passé simple de l'indicatif ;   *je crûs*
- à toutes les personnes de l'imparfait du subjonctif ;   *que je crûsse*
- au participe passé quand il est au masculin singulier.   *crû*

351 Verbes en *-croître* : j'accrois, il accroît, accru

La conjugaison des verbes se terminant par *-croître* (*accroître*, *décroître* et *recroître*), conserve le î du radical lorsqu'il est suivi d'un *t* :

- à la 3e personne du singulier du présent de l'indicatif ;   *il accroît*
- à toutes les personnes du futur de l'indicatif ;   *j'accroîtrai*
- à toutes les personnes du présent du conditionnel.   *j'accroîtrais*

REM   Contrairement au verbe *croître* (paragraphe 350), les verbes *accroître*, *décroître* et *recroître* n'ont pas de î aux deux premières personnes du singulier, ni de forme verbale contenant un û, sauf *recroître*, dont le participe passé est *recrû* au masculin singulier.

352 Verbes *battre* et *mettre* : je bats, tu bats

Les verbes *battre* et *mettre* et les verbes de la même famille (*débattre*, *remettre...*) perdent un *t* du radical :

- aux trois personnes du singulier du présent de l'indicatif ;   *je bats, je mets*
- à la 2e personne du singulier du présent de l'impératif.   *bats, mets*

353 -é ou -er à la fin du verbe : parler ou parlé

QUELLE EST LA DIFFÉRENCE ?	COMMENT LES DISTINGUER ?
-é est la terminaison du participe passé des verbes du Ier groupe : *chanté, mangé, joué...*	On peut remplacer le participe passé terminé par -é par un participe passé d'un verbe du 3e groupe. *Il a acheté un livre. Il a vendu un livre.*
-er est la terminaison de l'infinitif des verbes du Ier groupe : *chanter, manger, jouer...*	On peut remplacer l'infinitif du verbe du Ier groupe par l'infinitif d'un verbe du 3e groupe. *Elle veut marcher dehors. Elle veut courir dehors.*

REM Le participe passé en -é peut s'accorder et s'écrire -ée, -és, -ée.
→ paragraphe 300

354 -ai ou -ais à la fin du verbe : je chantai ou je chantais

QUELLE EST LA DIFFÉRENCE ?	COMMENT LES DISTINGUER ?
-ai est la terminaison de la Ire personne du singulier du passé simple des verbes du Ire groupe et du verbe *aller : j'aimai, je mangeai, j'allai...*	Si l'on conjugue le verbe à la 2e personne du singulier, -ai devient -as. *Je chantai ce matin. Tu chantas ce matin.*
-ais est la terminaison de la Ire personne du singulier de l'imparfait de l'indicatif pour tous les groupes de verbes : *j'aimais, je finissais, je pouvais...*	Si l'on conjugue le verbe à la 2e personne du singulier, -ais reste -ais. *Je chantais tous les jours. Tu chantais tous les jours.*

355 -*rai* ou -*rais* à la fin du verbe : je mange*rai* ou je mange*rais*

QUELLE EST LA DIFFÉRENCE ?	COMMENT LES DISTINGUER ?
-*rai* est la terminaison de la 1re personne du singulier du futur simple pour les trois groupes de verbes : *j'aimerai, je finirai, je dormirai…*	Si l'on conjugue le verbe à la 2e personne du singulier, -*rai* devient -*ras*. *Je sortirai après dîner.* *Tu sortiras après dîner.*
-*rais* est la terminaison de la 1re personne du singulier du conditionnel présent pour les trois groupes de verbes : *j'aimerais, je finirais, je dormirais…*	Si l'on conjugue le verbe à la 2e personne du singulier, -*rais* reste -*rais*. *Si tu le voulais, je sortirais maintenant.* *Si tu le voulais, tu sortirais maintenant.*

356 -*is*, -*it* ou -*i* à la fin du verbe : je m*is*, il m*it*, il a m*is*, il a suiv*i*

QUELLE EST LA DIFFÉRENCE ?	COMMENT LES DISTINGUER ?
-*is*, -*is*, -*it* peuvent être les terminaisons des trois personnes du singulier du passé simple des verbes des 2e et 3e groupes : *je finis, je dormis…*	Si l'on conjugue le verbe à la 3e personne du pluriel, -*is* et -*it* deviennent -*irent*. *Je sortis de bonne heure. Tu sortis de bonne heure. Il sortit de bonne heure.* *Ils sortirent de bonne heure.*
-*i* peut être la terminaison du participe passé d'un verbe en -*ir* à l'infinitif (verbes des 2e et 3e groupes) : *fini, dormi…*	Le *e* du féminin est muet : *i* devient *ie*. *Le garçon est parti.* *La fille est partie.*
-*is* peut être la terminaison du participe passé d'un verbe du 3e groupe : *mis, pris…*	Au féminin, -*is* devient -*ise*. On entend le son [z]. *Le poème est appris.* *La leçon est apprise.*
-*it* peut être la terminaison du participe passé d'un verbe du 3e groupe : *écrit…*	Au féminin, -*it* devient -*ite*. On entend le *t*. *Le message est écrit.* *La lettre est écrite.*

VOCABULAIRE

Les numéros renvoient aux numéros des paragraphes.

357 a

à	*Il n'y a qu'à regarder.*	aïe	*Aïe ! cela fait mal.*
ah	*ah ! l'orthographe*	ail	*pas d'ailloli sans ail*
ha	*Ha, ha, ha, laissez-moi rire !*		*(au pluriel : les ails ou les aulx)*

à-valoir	*Un à-valoir est un acompte.*	aile	*Il s'envola à tire-d'aile(s).*
avaloir	*L'avaloir de l'égout est obstrué.*	elle	*Elle parle peu.*

abbé	*l'abbé de la paroisse*	aine	*le pli de l'aine*
abée	*l'abée du moulin*	haine	*un cri de haine*

accord	*l'accord du piano*	air	*prendre l'air — un air connu*
	la signature de l'accord	aire	*l'aire de stationnement*
accore	*une côte accore*	ère	*l'ère tertiaire*
accort	*Accort est synonyme d'habile.*	erre	*l'erre du pétrolier*
acore	*la fleur d'un acore*	ers	*L'ers est une plante fourragère.*
		haire	*un drap en haire*
acétique	*de l'acide acétique*	hère	*Cet homme est un pauvre hère.*
ascétique	*une vie ascétique*		

		alêne	*L'alêne du cordonnier est une aiguille.*
acné	*l'acné juvénile*	allène	*L'allène est un hydrocarbure.*
haquenée	*La baronne montait une haquenée.*	haleine	*Il a mauvaise haleine.*

acquêts	*la communauté réduite*	alentour	*personne dans le refuge ni alentour*
	aux acquêts	alentours	*Les alentours étaient déserts.*
haquet	*un haquet attelé de mules*		

		alfa	*du papier d'alfa*
acquis	*l'acquis de la Révolution française*	alpha	*l'alpha et l'oméga*
acquit	*par acquit de conscience*		

		allaitement	*l'allaitement du bébé*
acre	*Une acre [a] faisait un bon*	halètement	*le halètement des asthmatiques*
	demi-hectare.		
âcre	*l'odeur âcre [ɑ] des feux d'automne*	aller	*aller et venir*
		hâler	*hâler la peau au soleil*
addition	*L'addition est une opération simple.*	haler	*haler une péniche*
adition	*l'adition en droit romain*		

		allô	*Allô ! qui demandez-vous ?*
age	*l'age [a] central de la charrue*	halo	*le halo de la pleine lune*
âge	*avoir l'âge [ɑ] de ses artères*		

allogène	une population allogène	ara	Un ara est un grand perroquet.
halogène	une lampe halogène	haras	un haras de chevaux de course
aman	demander l'aman : demander grâce	arcane	l'arcane de l'alchimiste
amman	amman : titre donné à des magistrats		les arcanes de la psychanalyse
	en Suisse	arcanne	un trait rouge tracé à l'arcanne
amant	l'amant et sa maîtresse		
		archée	l'archée [e] des alchimistes
amande	L'amande est riche en huile.	archer	l'archer [e] et son arc
amende	payer une bonne amende	archet	l'archet [ɛ] du violoniste
amen	Il lui a dit amen sans réfléchir.	are	un jardinet d'un are
amène	un ton peu amène	arrhes	verser des arrhes à la commande
		ars	saigner un cheval aux ars
ammoniac	le gaz ammoniac	art	les règles de l'art
ammoniaque	L'ammoniaque est une solution	hart	Une hart est un lien d'osier.
	aqueuse du gaz.		
		arienne	l'hérésie arienne
an	en l'an mille	aryenne	Le mythe de la race aryenne était sans
han	Le bûcheron fit han !		fondement.
anal	le stade anal de la petite enfance	arôme	l'arôme [o] d'un vin
annales	Les archivistes consultent les annales.	arum	cueillir des arums [ɔ]
anche	l'anche du saxophone	arrêt	l'arrêt de l'autobus
hanche	une luxation de la hanche	haret	Le chat haret craint l'homme.
ancre	Le bateau lève l'ancre.	as	l'as de pique
encre	une tache d'encre	asse	Une asse est un outil.
anse	l'anse du panier	aster	L'aster a des fleurs en étoiles
hanse	La hanse était une association	hastaire	Le hastaire lança son javelot.
	de marchands.		
		atèle	Un atèle est un singe.
antre	un antre de bête féroce	attelle	Une attelle a été posée sur son bras.
entre	entre deux portes		
		au	s'adresser au président
appas	Elle croyait ses appas irrésistibles.	aulx	L'ancien pluriel d'ail donnait aulx.
appât	Les poissons mordent aux appâts.	eau	les eaux de pluie
		ho - haut	ho ! ho ! vous là-haut !
apprêt	une toile sans apprêt	ô	ô mortel, souviens-toi !
après	après l'orage...	oh	oh ! la belle eau limpide
		os	Il n'a que la peau et les os.
aquilain	un cheval aquilain		
aquilin	un nez aquilin		

aubère	*Elle aimait la robe du cheval aubère.*	**autan**	*L'autan est un vent orageux.*
haubert	*Le haubert était exposé à la rouille.*	**autant**	*Travaillez autant qu'il faudra.*
aurifier	*aurifier une dent*	**autel**	*l'autel d'une église*
horrifier	*horrifier et terrifier*	**hôtel**	*le maître d'hôtel*
auspice	*l'auspice rituel du magistrat*	**auteur**	*l'auteur de ce texte*
	sous de fâcheux auspices	**hauteur**	*la hauteur d'une falaise*
hospice	*l'hospice de vieillards*		
		avant	*l'avant du navire – avant l'orage*
aussi tôt	*Je ne vous attendais pas aussi tôt.*	**avent**	*le premier dimanche de l'avent*
aussitôt	*Aussitôt que j'aurai une minute,*		
	je vous recevrai.		

358 b

baccara	*Le baccara est un jeu pratiqué*	**balade**	*faire une balade dans les Vosges*
	dans les casinos.	**ballade**	*une ballade de douze couplets*
baccarat	*Le baccarat est une variété*		
	de cristal.	**balai**	*donner un coup de balai*
		ballet	*une danseuse du corps de ballet*
bah	*Bah ! la chance finira par tourner.*		
bas	*les nuages sont bien bas*	**ban**	*publier les bans*
	une paire de bas de laine		*fermer le ban*
bât	*Le bât était placé sur le dos de l'âne.*		*mettre au ban de la nation*
		banc	*un banc de jardin*
bai	*un cheval bai* [ɛ]		*un banc d'huîtres*
baie	*le rivage de la baie* [ɛ] ·		
	une baie [ɛ] *vitrée*	**bar**	*Le bar est un poisson.*
bée	*rester bouche bée* [e]		*Le bar est une unité de pression.*
bey	*la politique du bey* [ɛ] *de Tunisie*		*le comptoir du bar*
		bard	*porter des colis sur un bard*
baile	*Un baile était un administrateur*	**barre**	*de l'or en barres*
	de biens.		*donner un coup de barre à gauche*
bel	*un bel oiseau*		
belle	*une belle fleur*	**barbu**	*un acteur chauve, barbu*
		barbue	*La barbue ressemble au turbot.*
bailler	*la bailler belle*		
bayer	*bayer aux corneilles (rêvasser)*	**bardeau**	*une cabane couverte de bardeaux*
bâiller	*bâiller de fatigue – bâiller comme*	**bardot**	*Le bardot est le croisement*
	une huître (être entrouvert)		*d'un cheval et d'une ânesse.*
bal	*le bal du village*	**basilic**	*l'arôme du basilic*
bale	*On écrit bale ou balle d'avoine.*	**basilique**	*la nef de la basilique*
balle	*saisir la balle au bond*		

baume	mettre du baume au cœur
bôme	La bôme est perpendiculaire au mât.
baux	Baux est le pluriel de bail.
beau	un beau pied
bot	un pied bot
bécard	Le bécard ou beccard est un poisson.
bécarre	Le bécarre est un signe de musique.
bête	La bête ne lâcha pas sa proie.
bette	La bette est un légume.
bien tôt	Cet auteur se met bien tôt à son ouvrage, avant même le lever du soleil.
bientôt	Cet auteur se mettra bientôt au travail.
bit	Un bit est une unité de codage informatique.
bitte	une bitte d'amarrage
blé	Le blé [e] est mûr.
blet	Un fruit blet [ɛ] n'est pas appétissant.
bon	un bon spectacle
bond	un bond en avant
bonace	une bonace d'avant tempête
bonasse	un air bonasse
boom	le nouveau boom de l'informatique
boum	On entendit un grand boum.
bord	jeter par-dessus bord
bore	Le bore est un métalloïde.
bort	Le bort est un diamant.
boss	Le boss avait perdu l'initiative.
bosse	la bosse du dromadaire
	une bosse d'amarrage

bote	une hanche bote
botte	une botte de paille
	des bottes d'équitation
	pousser une botte avec l'épée
boue	un bain de boue
bout	un bout de ficelle
bouilli	Le cuir bouilli est plus résistant.
bouillie	C'est de la bouillie pour les chats.
bouleau	l'écorce du bouleau
boulot	chercher du boulot
	un pain de campagne boulot
bourg	le marché du bourg
bourre	une bourre de laine
box	Chaque cheval avait son box.
	un sac en box noir
boxe	la boxe française
brai	Le brai est un sous-produit du pétrole.
braies	Les braies étaient une sorte de pantalon.
bric	de bric et de broc
	le bric-à-brac
brick	Le brick est un voilier.
	le brick à l'œuf
brique	une brique romaine
	un teint brique
brie	Comme fromage, je prendrai du brie.
bris	L'assurance couvre le bris de glace.
brise	la brise de mer
brize	La brize est une plante sensible au vent.
brocard	lancer des brocards ironiques (brocarder)
brocart	Un jeune chevreuil est un brocard.
	des rideaux de brocart

brut	*du champagne brut ou du sec ?*	buté	*un homme buté*
	en poids brut ou en poids net ?	buter	*buter contre un gros caillou*
brute	*une véritable brute, ce type*		*buter quelqu'un (familier)*
		butter	*butter les carottes*
but	*un but inespéré*		
butte	*une butte-témoin*	butoir	*Le butoir arrêta le wagon.*
		buttoir	*passer le buttoir dans le champ*

359 C

ça	*Ça, c'est vilain.*	caner	*caner devant l'obstacle (familier)*
çà	*çà et là, des arbres abattus*		*caner (ou canner) d'une maladie*
sa	*le regret de sa vie*		*(familier)*
		canner	*canner un fauteuil*
cabillaud	*la pêche au cabillaud*		
cabillot	*un cabillot d'amarrage*	cantique	*le cantique des cantiques*
		quantique	*la physique quantique*
cache	*une bonne cache*		
	un cache de photographe	cap	*maintenir le cap*
cash	*payer cash*	cape	*une cape de matador*
			se mettre à la cape (grand-voile)
caddie	*La cliente avait rempli son caddie.*		
caddy	*Le caddy, au golf, sert à porter les*	capital	*un argument capital*
	« clubs ».		*le capital souscrit*
		capitale	*la capitale de la France*
cadran	*le cadran de l'horloge*		*la peine capitale*
quadrant	*Le quadrant est un quart de cercle.*		
		capre	*Le capre [a] fut démâté en pleine*
cal	*le cal de la main d'un karatéka*		*course.*
cale	*la cale d'un navire*	câpre	*La câpre [ɑ] est un condiment*
	mettre une cale sous les roues		*apprécié.*
camp	*un lit de camp*	car	*Le car n'avait pas attendu.*
khan	*Le khan fit lever le camp.*	carre	*Il ne viendra pas, car il est malade.*
quand	*Quand reviens-tu ?*		*la carre du ski*
quant	*Quant à moi, je reste.*	quart	*un quart de litre*
canar	*installer un canar d'aération*	carré	*la diagonale du carré*
canard	*un canard à l'orange*		*un nombre carré*
			le carré des officiers
canaux	*les canaux d'irrigation*	carrée	*En musique, une carrée vaut*
canot	*un canot de sauvetage*		*deux rondes.*
			Une carrée est une chambre
cane	*le canard et sa cane*		*(familier).*
canne	*un pommeau de canne*		

carte	*une carte à jouer* *la carte du ciel*	cène	*la Cène du Jeudi saint*
quarte	*La fièvre quarte vient par* *intermittence.* *L'intervalle do-fa est une quarte.*	saine scène seine sen	*une vie saine* *une scène de théâtre* *La seine (ou senne) est un filet.* *un sen japonais*
cartier	*Le cartier est un fabricant* *de cartes à jouer.*	cens sens	*l'abolition du cens électoral* *le sens unique*
quartier	*le premier quartier de la lune* *le commissariat du quartier*	censé sensé	*Nul n'est censé ignorer la loi.* *Voici un homme sensé !*
catarrhe	*Le médecin s'inquiétait* *de son catarrhe.*	cent sang	*Donne-moi cent francs.* *la circulation du sang*
cathare causse	*les châteaux cathare* *Le causse* [o] *est un plateau* *calcaire.*	sans	*sans doute*
cosse	*une cosse* [ɔ] *de petit pois*	centon santon	*un centon satirique* *un santon de Provence*
ce se	*Ce plat est bon.* *Il se mange froid.*	cep cèpe	*le cep de la vigne* *Le cèpe est un champignon* *comestible.*
céans séant	*le maître de céans* *se dresser sur son séant* *Ce comportement n'est pas séant.*	cerf serf serre	*chasser le cerf* *Le serf regardait le seigneur.* *la serre tropicale du jardin* *botanique*
ceint cinq sain saint sein seing	*les reins ceints* *dans cinq minutes* *s'en tirer sain et sauf* *le saint patron de la corporation* *serrer contre son sein* *sous seing privé*	certes serte	*les serres de l'aigle* *Vous avez certes raison.* *la serte (le sertissage)*
céleri sellerie	*une salade de céleri* *La sellerie est le métier du sellier.*	ces ses	*Ces perspectives l'effrayaient.* *douter de ses propres forces*
celles sel selle	*Ceux et celles qui hésitent encore.* *un régime sans sel* *se mettre en selle*	cession session	*un acte de cession* *la session parlementaire*
cellier sellier	*Il n'y a plus de vin au cellier.* *Le sellier travaille le cuir.*	cétacé sétacé	*La baleine est un cétacé.* *un poil sétacé*
cendre sandre	*la cendre sous le feu* *La (le) sandre est un poisson.*	chah	*En persan, chah (shah) signifie* *roi.*
		chas chat	*le chas d'une aiguille* *le chat de la voisine*

chaîne	une chaîne de vélo	chérif	un chérif du désert d'Arabie
chêne	une porte en chêne	shérif	un shérif de western
		chic	un costume du dernier chic
chair	avoir la chair de poule	chique	mâcher sa chique
chaire	la chaire de philosophie		La chique est une variété de puce.
cher	cher cousin et chère cousine		
chère	faire bonne chère	chimie	L'alchimie précéda la chimie.
		shimmy	danser le shimmy
chais	Les chais [ɛ] sont remplis de vin.		
chez	Viens chez [e] nous.	chœur	les chœurs de l'Opéra
		cœur	au cœur des débats
champ	le champ de bataille		
chant	le chant du cygne	cholérique	Un médicament cholérique agit sur la bile.
chape	une chape brodée	colérique	un homme colérique
	une chape de plomb défectueuse		
schappe	des fils de schappe (déchets de soie)	choper	choper un rhume (familier)
		chopper	chopper, comme achopper, heurter
chasse	un rendez-vous de chasse [a]		
châsse	La châsse [ɑ] est un coffre où l'on garde des reliques.	choral	les chorals de Bach
		chorale	la chorale de la paroisse
		corral	Le bétail était parqué dans le corral.
chassie	les paupières engluées de chassie		
châssis	le châssis d'une voiture	chrême	le saint chrême
		crème	la crème glacée
chaud	un chaud et froid		
chaux	la chaux vive	chut	Chut ! murmura-t-il.
show	le nouveau show d'une vedette	chute	en chute libre
			les chutes du Niagara
chaumage	Le chaumage consiste à couper le chaume.	ci	celui-ci
chômage	l'augmentation du chômage		ci-joint une facture
		s'y	Il ne faut pas s'y fier.
chaumer	chaumer après la moisson	scie	découper à la scie
chômer	chômer en période de crise	si	sol, la, si
			Si la terre s'arrêtait…
cheik	le cheik arabe (scheikh, cheikh)	sis	sis à flanc de coteau
chèque	payer par chèque	six	six francs
chemineau	Le chemineau vagabondait.	cil	Un cil s'était glissé sous la paupière.
cheminot	Le cheminot vérifiait la voie ferrée.		
		scille	La scille ressemble à la jacinthe.
chéri	l'enfant chéri du destin		
cherry	Le cherry est une liqueur de cerise.	cilice	Le pénitent portait le cilice.
sherry	Le xérès se dit en anglais sherry.	silice	Le quartz est de la silice pure.

cime	*la cime de l'arbre*	coke	*le coke de la chaufferie*
cyme	*la cyme du myosotis*		*La coke est une abréviation*
			de cocaïne (familier).
cinq	*cinq hommes*	coq	*le coq du poulailler*
scinque	*Un scinque est un reptile.*		*un maître-coq*
		coque	*la coque du navire*
cire	*un cachet de cire*		*un œuf à la coque*
cirre	*les cirr(h)es du lierre*		
sire	*un triste sire*	col	*les cols* [ɔ] *des Pyrénées*
			le col [ɔ] *du fémur*
cistre	*la musique du cistre (genre*		*un col* [ɔ] *de chemise*
	de mandoline)	colle	*la colle* [ɔ] *à bois*
sistre	*Le sistre était un instrument*		*poser une colle* [ɔ] *(familier)*
	à percussion.		*deux heures de colle* [ɔ] *(familier)*
		khôl	*des yeux peints au khôl* [o]
clac	*clac !*		
claque	*un chapeau claque*	colon	*les premiers colons* [o] *d'Amérique*
	en avoir sa claque		*l'inspection du colon(el)* [ɔ]
	une tête à claques		*(familier)*
claie	*une simple claie* [ɛ] *entre*	côlon	*une inflammation du côlon* [o]
	les jardins		
clé	*Il avait perdu sa clé (ou clef)* [e].	coma	*être dans le coma*
		comma	*Un comma sépare sol dièse*
clair	*Il ne fait pas encore clair.*		*et la bémol.*
clerc	*le clerc de notaire*		
		commande	*passer commande*
clause	*une clause de sauvegarde*	commende	*Il avait une abbaye en commende.*
close	*trouver porte close*		
		comptant	*payer comptant*
clic	*Clic ! le coffre est fermé.*	content	*Il avait l'air content.*
click	*faire un click avec la langue*		
clique	*la clique du régiment*	compte	*Il a son compte, celui-là !*
	le président et sa clique	comte	*le comte et la comtesse*
cliques	*prendre ses cliques et ses claques*	conte	*un vrai conte de fées*
cocher	*un cocher* [e] *de fiacre*	compté	*Ses jours étaient comptés.*
	cocher [e] *un nom sur une liste*	comté	*Le comté est un fromage*
cochet	*Un cochet* [ɛ] *est un coquelet.*		*de Franche-Comté.*
			Le comté était en deuil.
coi	*J'en reste coi.*		
quoi	*Quoi de neuf chez vous ?*	compter	*compter les coups*
		conter	*conter fleurette*
coin	*le meilleur restaurant du coin*		
coing	*de la gelée de coings*		

compteur	un compteur électrique	cour	la cour du roi
conteur	un conteur-né, ce berger !		une cour des miracles
			Il lui faisait une cour assidue.
consol	faire un point consol		
console	la console de sonorisation	courre	la chasse à courre
		cours	le cours d'histoire, au cours du jour
cool	une personne « cool »,	court	aller par le plus court chemin
	décontractée		un court de tennis
	être « à la coule » signifie être		
	au courant	crac	Crac ! la branche cassa net.
coule	La coule est un vêtement	crack	Ce jockey est un crack.
	à capuchon des religieux.		Le crack est un dérivé de la cocaïne.
		craque	Il raconte des craques.
coolie	un coolie chinois ou hindou	krach	le krach de 1929 (crise financière)
coulis	préparer un coulis d'écrevisses	krak	le krak des Chevaliers (château)
	Le vent coulis est traître.		
		craie	un morceau de craie
cor	sonner du cor	crêts	les crêts du Jura
	un cor au pied		
	à cor et à cri	cric	un cric hydraulique
corps	le corps et l'esprit	crique	une crique abritée du vent
	le corps d'armée		
		cross	un coureur de cross
cornu	une bête cornue (à cornes)	crosse	la crosse de l'évêque
cornue	La cornue sert à distiller.	crosses	À qui cherches-tu des crosses ?
			(familier)
cote	une cote [ɔ] mal taillée		
côte	une côte [o] de bœuf	croup	On mourait facilement du croup.
	une côte [o] escarpée	croupe	la croupe du cheval
cotte	une cotte [ɔ] de maille		
		cru	un bon cru du Bordelais
coté	Il est bien coté [ɔ] dans l'usine.		un vin du cru
côté	les gens d'à côté [o]	crue	la crue du Nil, la viande crue
cou	tendre le cou	cuisseau	un cuisseau de veau
coup	accuser le coup	cuissot	un cuissot de chevreuil
coût	produire à moindre coût		
		curé	le curé du village
coulomb	Le symbole du coulomb est C.	curée	La curée est une portion de bête
coulon	Le coulon est l'autre nom		donnée aux chiens après la chasse.
	du pigeon.		
		cygne	Un cygne noir glissait sur le lac.
coupé	Un coupé décapotable était exposé	signe	donner des signes de fatigue
	au Salon de l'automobile.		
coupée	Le marin grimpa l'échelle de coupée.	cyon	Un cyon est un chien sauvage.
		scion	mince comme un scion de peuplier

360 d

dais	un dais [ɛ] nuptial	dengue	le virus de la dengue
dé	un dé [e] à coudre	dingue	Ce type est dingue.
	un dé [e] pipé		
des	des [e] temps difficiles	desceller	desceller une grille
dès	dès [ɛ] le lendemain	desseller	desseller un cheval
dey	la politique du dey [ɛ] d'Alger		(mais déceler une inexactitude)
dans	dans son assiette	dessein	quel est son dessein (son but) ?
dent	Il a perdu une dent.	dessin	un dessin à la plume
danse	une danse populaire	détoner	détoner avec un bruit inouï
dense	un brouillard très dense	détonner	détonner dans un décor discret
dard	le dard du scorpion	différend	Un différend les opposait.
dare	arriver dare-dare	différent	un avis différent
date	une date mémorable	do	le do de la clarinette
datte	un régime de dattes	dos	un dos d'âne
décrépi	Un pan de la façade était décrépi.	dom	Dom Pérignon
décrépit	un clochard prématurément décrépit	don	un don à la paroisse
			des dons d'acteur
décri	L'ex-champion était tombé en décri.	dont	L'endroit dont je t'ai parlé.
décrit	un paysage souvent décrit		
défait	le visage défait	drill	Le drill est un grand singe.
défet	Le second tirage comporte un défet.	drille	un joyeux drille
			forer à la drille
dégoûter	dégoûter les convives	dû	payer son dû
dégoutter	dégoutter le long du mur	due	une somme due
délacer	délacer les chaussures		
délasser	délasser le public		

361 e

écho	La montagne renvoie l'écho.	empâtement	l'empâtement [ɑ] de son tour de taille
	des échos de couloir	empattement	l'empattement [a] d'une voiture
écot	Chacun paya son écot sans		
	rechigner.	enter	enter un arbre fruitier
		hanter	hanter les mauvais lieux
éclair	Un éclair l'aveugla un instant.		
éclaire	De l'éclaire on tirait un collyre.	envi	On se l'arrachait à l'envi.
		envie	Il ne résista pas à l'envie de s'enfuir.

épais	*un brouillard épais* [ɛ]	étal	*un étal de boucher*
épée	*un coup d'épée* [e]	étale	*le vent étale*
			l'étale de la marée
épars	*les cheveux épars*		
épart	*L'épart était mal ajusté.*	éthique	*Il s'était fixé une éthique de vie*
			rigoureuse.
épicer	*épicer un plat*	étique	*un cheval étique, d'une extrême*
épisser	*épisser deux cordages*		*maigreur*
erse	*l'erse de la poulie*	être	*un être humain*
	la civilisation erse	hêtre	*une forêt de hêtres*
herse	*La herse est tirée par le tracteur.*		
		euh	*Euh ! je ne sais pas.*
ès	*un docteur ès lettres*	eux	*Vous le savez mieux qu'eux.*
esse	*Une esse est un crochet en S.*	heu	*Heu ? cela suffira ?*
		œufs	*une demi-douzaine d'œufs*
et	*l'un et l'autre*		
eh	*eh quoi*	exaucer	*exaucer des prières*
hé	*hé hé oui !*	exhausser	*exhausser une digue*
étain	*un gobelet en étain*	exprès	*une lettre envoyée en exprès*
éteint	*un volcan éteint*	express	*un train express*

362 f

fa	*le premier concerto en fa majeur*	fan	*un fan de cinéma*
fat	*Cet homme est un fat.*	fane	*La fane du radis ne se mange pas.*
face	*perdre la face*	far	*Le far est un gâteau breton.*
fasce	*un écu à fasce d'argent*	fard	*Le fard change le teint naturel.*
	(héraldique)	phare	*Le phare d'Ouessant est puissant.*
faim	*tenaillé par la faim*	fausse	*une fausse déclaration*
fin	*la fin de la représentation*	fosse	*la fosse aux lions*
	un pinceau fin		
	parvenir à ses fins	fausset	*une voix de fausset*
feint	*un bonheur feint*		*tirer du vin au fausset*
		fossé	*un fossé d'irrigation*
fait	*un fait-divers*		
faix	*succomber sous le faix des charges*	ferment	*le ferment lactique*
		ferrement	*ferrement (ferrage ou ferrure)*
faite	*une tête bien faite*		
faîte	*grimper au faîte de l'arbre*	feuillée	*creuser les feuillées* [e] *pour*
fête	*c'est la fête*		*la troupe*
		feuillet	*un feuillet* [ɛ] *imprimé*

fi	*Fi donc vous récidivez ?*
	Je faisais fi de ses conseils.
phi	*La lettre grecque phi s'écrit f.*

fil	*Cela ne tient qu'à un fil.*
file	*une longue file d'attente*

filtre	*un filtre en papier*
philtre	*un philtre d'amour*

fine	*un verre de fine*
	une fine de claire (variété d'huître)
fines	*charger du béton de fines (sorte de sable)*

flac	*flac ! le voilà à l'eau*
flaque	*une flaque d'eau*

flache	*une flache dans le pavé*
flash	*le flash de l'appareil-photo*

flamand	*un vieux peintre flamand*
flamant	*Le flamant rose se tenait sur une patte.*

flan	*Le flan est encore au four.*
flanc	*à flanc de coteau*
	un tire-au-flanc
	prêter le flanc aux critiques

floche	*Les nuages partaient en floches.*
flush	*un flush de carreau (au poker)*

foc	*le foc d'un voilier*
phoque	*Un phoque plongea sous la glace.*

foi	*Il gardait la foi du charbonnier.*
foie	*Son foie le faisait souffrir.*
fois	*Il était une fois...*

fond	*le fond et la forme*
	une épreuve de ski de fond
fonds	*un fonds de commerce*
fonts	*les fonts baptismaux*
for	*en son for intérieur*
fors	*Tout était perdu, fors l'honneur.*
fort	*un fort en thème*
	Les Indiens attaquent le fort.

foret	*percer un trou avec un foret*
forêt	*une forêt de sapins*

foule	*Il redoutait la foule.*
full	*un full aux as (au poker)*

fourni	*une barbe bien fournie*
fournil	*Le fournil était encore chaud.*

frai	*la saison du frai chez les anguilles*
frais	*du poisson frais*
	des frais de travaux
fret	*On décharge l'avion de son fret.*

fréter	*fréter un cargo*
fretter	*fretter un tube de canon*

frite	*un cornet de frites*
fritte	*La fritte sert à fabriquer du verre.*

führer	*Hitler était appelé führer (guide).*
fureur	*la fureur de vivre*

gai *Mon grand-père a le cœur gai [ɛ].*
guai *Il fit frire un hareng guai [ɛ].*
gué *Il suffit de passer le gué [e], ô gué !*
guet *faire le guet [ɛ]*

gal *Le gal mesure l'accélération.*
gale *un chien qui a la gale*
galle *La noix de galle est riche en tanin.*

galon *un galon d'argent*
gallon *un gallon d'essence*
  (unité de mesure)

gang *On arrêta le cerveau du gang.*
gangue *La gangue entoure un minerai.*

gaule *la gaule du pêcheur*
goal *le goal de l'équipe*

Gauss *une courbe de Gauss [o]*
  (en mathématiques)
gosse *un sale gosse [ɔ]*

gaz *les réserves de gaz naturel*
gaze *L'infirmier demandait de la gaze.*

geai *J'ai aperçu un geai.*
jais *une chevelure noire de jais*
jet *un jet de pierre*

gêne *éprouver de la gêne*
gènes *Certaines maladies sont inscrites*
  dans les gènes.

genet *Le genet est un petit cheval.*
genêt *Le genêt servait à faire des balais.*

gens *des gens heureux*
gent *la gent ailée (les oiseaux)*
jan *un jan de trictrac*

gin *Le gin est un alcool de grain.*
jean *Il portait un jean et un blouson.*

glaciaire *le relief glaciaire*
glacière *garnir une glacière de glaçons*

golf *jouer au golf*
golfe *Le port se trouve au fond du golfe.*

goulée *une bonne goulée [e] d'alcool*
goulet *Le goulet [ɛ] est long à franchir.*

gourmé *avoir un maintien gourmé [e]*
gourmet *C'est un fin gourmet [ɛ].*

goûter *goûter la soupe*
goutter *goutter comme un robinet*

grâce *la grâce présidentielle*
  des manières pleines de grâce
grasse *une substance grasse*

gram *un gram positif ou négatif*
  (en chimie)
gramme *Cela pèse quelques grammes.*

grau *Les eaux se mêlent dans le grau.*
gros *gros comme le poing*

grave *une faute grave, le grave et l'aigu*
graves *Les graves sont des vins*
  de Bordeaux.

gré *de gré [e] ou de force*
grès *une poterie en grès [ɛ]*

group *Un group disparut du sac postal.*
groupe *Le groupe de tête ralentit.*

guère *Il n'y a guère de place.*
guerre *la guerre et la paix*

gueule *la gueule du loup*
gueules *le rouge gueules de l'écu*
  (héraldique)

364   h

halage	le chemin de halage	hockey	des crosses et un palet de hockey
hallage	Le hallage est un droit payé par les marchands.	hoquet	avoir le hoquet
		O.K.	Il répondit O.K. !

hâle	Le hâle [ɑ] lui donne bonne mine.	hombre	L'hombre est un jeu de cartes.
halle	la halle [a] aux vins	ombre	à l'ombre, pêcher un ombre

harde	une harde de daims	hop	Hop ! c'est le moment.
hardes	les hardes du clochard	ope	une ope dans les murs

hausse	la hausse des salaires	hors	Il est hors de danger.
os	un os à moelle	or	la ruée ver l'or
			mais, ou, et, or…
		ores	Je suis d'ores et déjà décidé.

haute	la haute [o] société	hou	Hou ! vous croyez me faire peur.
hot	Il adorait le rythme hot [ɔ] du jazz.	houe	biner à la houe à main
hôte	un hôte [o] encombrant	houx	une haie de houx
hotte	une hotte [ɔ] de vendangeur	ou	hier ou avant-hier
		où	Où vas-tu ?

heaume	Le heaume [o] protégeait le visage.	houille	La houille est du charbon naturel.
home	un home [o] d'enfants	ouille	Ouille ! j'ai mal !
homme	l'homme [ɔ] et la femme		
ohm	Un ohm [ɔ] est une unité de résistance (en électricité).	houillère	une houillère dans le Nord
		ouillière	une vigne en ouillière

héraut	Le héraut annonçait le début des cérémonies.	hourdis	un hourdis de fortune
héros	un héros de légende	ourdi	un complot ourdi de longue date

heur	Il n'avait pas l'heur de lui plaire.	huis	une séance à huis clos
heure	Une heure après, il partit.	huit	aujourd'hui ou dans huit jours
heurt	un heurt violent (heurter)		

hi	Hi ! hi ! riait-elle ou pleurait-elle ?	hune	grimper au mât de hune
hie	On enfonça les pilotis à la hie.	une	une vedette à la une d'une revue
y	Il y en aura assez.		

hile	Le hile du rein était enflammé.	hutte	coucher dans une hutte de trappeur
île	Il vivait sur une île.	ut	En solfège, le do se disait ut.

hobby	On ne lui connaissait pas de hobby.	hyène	L'hyène rôdait dans les parages.
obi	une obi pourpre du Japon	yen	Le yen est une monnaie.

		hyphe	l'hyphe des champignons
		if	les fruits rouges de l'if

365 i

ide	pêcher un ide pourpre	intercession	Il a demandé l'intercession
ides	Dans le calendrier romain,		de ses proches.
	les ides sont une division du mois.	intersession	l'intersession parlementaire
impérial	le manteau impérial	issu	Il est issu d'une famille
impériale	un autobus à impériale		de vignerons.
	une barbe à l'impériale	issue	une rue sans issue

366 j

jar	jargonner le jar(s)	jeune	les jeunes [ʒœn] enfants
jard	les bancs de jard de la Loire	jeûne	Le jeûne [ʒøn] l'a amaigri.
	(sable)		
jarre	une grande jarre d'huile d'olive	jeté	épaulé et jeté, en haltérophilie
	couper les jarres (ou jars)		un jeté battu (danse)
	d'une fourrure		un jeté de table imprimé
jars	Le jars est le mâle de l'oie.	jetée	la jetée du port
javel	de la javel (de l'eau de Javel)	joue	une joue enflée
javelle	des javelles mises en gerbes	joug	le joug de l'occupation
je	Non, je ne joue pas à ce jeu.	jumelle	une sœur jumelle
jeu	Le rami est un jeu de cartes.	jumelles	des jumelles de spectacle

367 k

kermesse	la kermesse du village	khi	Le khi grec s'écrit u.
kermès	Le kermès vit sur un chêne.	qui	Qui n'a pas compris ?

368 l

la	le sommet de la montagne	label	un label de qualité
	Je ne la vois pas arriver.	labelle	Le labelle est un pétale.
	un la bémol		
là	Elle est passée par là.	lac	le rivage du lac
lacs	Le lièvre était pris dans un lacs.	laque	une bombe de laque
las	las d'avoir tant attendu		La laque est un vernis pour le bois.
			la laque de Chine
lire	la dévaluation de la lire	lacer	lacer une chaussure
	un livre à lire	lasser	lasser ses admirateurs
lyre	l'oiseau-lyre		
	la lyre du poète		

lai   *Un lai [ɛ] était un poème.*
     Un frère lai [ɛ] tenait les comptes.
laid   *C'est un acte très laid [ɛ].*
laie   *La laie [ɛ] est la femelle du sanglier.*
lais   *Lais [ɛ] est la forme ancienne de legs.*
lait   *le lait [ɛ] de brebis*
lé   *un lé [e] de toile*
les   *les [e] quatre saisons*
lez   *lez ou lès [e] (« près de » dans les noms de lieux)*

laite   *Laitance se dit aussi laite.*
let   *Au tennis, la balle est let.*
lette   *Le lette est une langue indo-européenne.*

lard   *du lard fumé à l'ancienne*
lare   *vénérer les lares domestiques*

las   *las ! (hélas)*
lasse   *de guerre lasse, avoir les jambes lasses*

laure   *Une laure est un monastère.*
lord   *Lord est un titre de noblesse*
lors   *dès lors que vous le dites*

leader   *le leader du mouvement*
lieder   *des lieder de Schubert*

lest   *lâcher du lest*
leste   *avoir la main leste*

leur   *Leur patience a des limites.*
leurre   *Ce programme n'est qu'un leurre.*

li   *Un li chinois valait environ 576 m.*
lie   *boire la coupe jusqu'à la lie*
lit   *un lit à baldaquin*

lice   *entrer en lice*
     une tapisserie de haute lice
lis   *une fleur de lis ou de lys*
lisse   *polir le cuir à la lisse*
     une surface lisse
     la lisse d'un navire

lieu   *pêcher du lieu, un lieu sûr*
lieue   *une lieue marine (distance)*

limbe   *Le limbe d'une feuille est sa partie aplatie.*
     Le bord extérieur d'un astre s'appelle le limbe.
limbes   *les limbes de la pensée, un état incertain*

lob   *Un lob superbe surprit le gardien de but.*
lobe   *le lobe de l'oreille*

loch   *Un loch est un lac écossais.*
     Le loch sert à mesurer la vitesse d'un voilier.
loque   *Il n'était plus qu'une loque.*

lods   *Lods et ventes rapportaient beaucoup.*
lot   *un lot de consolation*

lori   *Le lori est un perroquet des Indes.*
loris   *Le loris est un petit singe.*
lorry   *Un lorry était resté sur la voie ferrée.*

lourd   *un poids lourd*
loure   *danser une loure paysanne*

lunette   *la lunette arrière d'une voiture*
     une lunette d'approche
lunettes   *des lunettes de plongée*

lut   *Le lut protège du feu.*
luth   *Le luth est un instrument arabe.*
lutte   *la lutte gréco-romaine*

lux   *Le lux est une unité d'éclairement.*
luxe   *avec un grand luxe de détails*
     Il vivait dans le luxe.

ma	*Le chat de ma voisine m'a griffé.*	manse	*Un(e) manse était un petit*
mas	*un mas provençal*		*domaine féodal.*
	(le -s se prononce parfois)	mense	*La mense abbatiale n'était pas*
mât	*Le mât du navire s'est brisé.*		*maigre.*
mai	*le mois de mai*	mansion	*les mansions du théâtre*
maie	*La maie est une sorte de pétrin.*		*au Moyen Âge*
mais	*Mais, que fais-tu?*	mention	*rayer les mentions inutiles*
maye	*La maye est une auge de pierre*		
	pour l'huile d'olive.	mante	*une mante religieuse*
mets	*quel mets délicieux!*	menthe	*une menthe à l'eau*
		marais	*les marais* [ɛ] *salants*
maïa	*Un maïa est une araignée de mer.*	marée	*le calendrier des marées* [e]
maya	*la grande civilisation maya*	marrer (se)	*Se marrer* [e] *signifie rigoler.*
	en Amérique centrale		*(familier)*
mail	*le vieux jeu de mail*	marc	*lire dans le marc de café*
maille	*une maille qui file*	mare	*Les canards avaient leur mare.*
	sans sou ni maille (avoir maille	marre	*« Y en a marre! » cria-t-il.*
	à partir)		
		marenne	*Les marennes sont des huîtres.*
main	*se serrer la main*	marraine	*La marraine gâte son filleul.*
maints	*Il se trame maints complots.*		
		mari	*Le mari de ma voisinne.*
maire	*le maire du village*	marri	*Il en est tout marri (fâché).*
mer	*le bord de mer*		
mère	*la mère de famille*	mark	*Le mark est la monnaie allemande.*
maître	*C'était un bon maître d'école.*	marque	*à vos marques… prêts? partez!*
mètre	*un mètre de tissu*		*La marque avait été effacée.*
mettre	*mettre la table*		
		marocain	*le climat marocain*
maki	*les grimaces d'un maki*	maroquin	*un portefeuille en maroquin*
	(mammifère)		
maquis	*En 1941, il a pris le maquis.*	martyr	*Un martyr est persécuté.*
		martyre	*souffrir le martyre*
mal	*Il a mal profité de ses vacances.*		
	un mal incurable	mas	*un mas à restaurer*
mâle	*le mâle et la femelle*	masse	*une masse de documents*
malle	*la vieille malle du grenier*		
		mat	*échec et mat!*
mânes	*invoquer les mânes des ancêtres*		*un teint mat*
manne	*attendre la manne du ciel*	math	*le prof de math(s)*

maté   *Le maté est une variété de houx.*
mater   *mater la mutinerie*
mâter   *mâter une frégate*

matin   *matin [a] et soir*
mâtin   *Le mâtin [ɑ] est un gros chien de garde.*

maure   *les invasions des Maures [o] ou [ɔ]*
mors   *prendre le mors [ɔ] aux dents*
mort   *Il attendait la mort [ɔ].*

maux   *des maux de tête*
mot   *un mot malheureux*

mécano   *Le mécano s'affairait sur le moteur.*
meccano   *une grande boîte de meccano*

mess   *le mess des officiers*
messe   *la grand-messe*

mi   *do ré mi fa*
mie   *du pain de mie*
    Où êtes-vous, ma mie ?
mis   *de l'argent mis de côté*

mil   *des grains de mil*
mille   *Le mille est une mesure de longueur.*
    mille neuf cent quatre-vingt-sept
    taper dans le mille

mir   *Un mir était une communauté rurale en Russie.*
mire   *Elle était le point de mire de l'assemblée.*
myrrhe   *l'or, l'encens et la myrrhe des Rois mages*

mirobolant   *un avenir mirobolant*
myrobolan   *du myrobolan d'apothicaire*

mite   *plus une seule mite dans le placard*
mythe   *les récits et les mythes de l'Antiquité*

moi   *C'est moi qui vous le dis.*
mois   *La fin du mois sera difficile.*
moye   *la moye (moie) de la pierre*

mole   *Une mole [ɔ] est une unité de quantité de matière (en chimie).*
môle   *le môle [o] du port*
    La môle [o] est un poisson-lune.
    La môle [o] est une croissance anormale du placenta.
molle   *une pâte molle [ɔ]*

mon   *mon vélo*
mont   *le mont Blanc*

mou   *un caramel mou*
    du mou (abats d'animaux)
moue   *faire la moue*
moût   *le moût est un jus de raisin pas encore fermenté.*

mu   *La lettre grecque mu s'écrit i.*
mû   *Il était mû par un sentiment de charité.*
mue   *la mue d'un serpent*
    Une mue est une petite cage.
    la mue de la voix

mur   *un mur délabré*
mûr   *Le fruit mûr tombe tout seul.*
mûre   *de la confiture de mûres*

370 n

n'y	*Il n'y comprend rien.*	notre	*notre [ɔ] seule chance*
ni	*ni l'un ni l'autre*	nôtre	*C'est la nôtre [o].*
nid	*un vrai nid d'aigle*		

	nu	*La lettre grecque nu s'écrit n.*
ne	*Tu ne veux pas manger ?*
nœud	*Il défait un nœud.*

mettre son cœur à nu
voir une planète à l'œil nu

nue | *Nue peut signifier nuage ou nuée.*

né | *une âme bien née*
nez | *le nez de Cyrano*

numéraux | *les adjectifs numéraux*
numéro | *tirer le bon numéro*

none | *Une none est un office religieux.*
nonne | *Une nonne est une religieuse.*

norois | *Le norois (noroît) soufflait.*
norois· | *Le norois (norrois) est*
une ancienne langue des peuples
scandinaves.

371 o

onglée | *Le froid lui donnait l'onglée [e].*
onglet | *un assemblage de menuiserie*
en onglet [ɛ]

oubli | *Le hasard le tira de l'oubli.*
oublie | *L'oublie est une petite gaufre.*

ordinand | *L'ordinand est celui qui est*
ordonné prêtre.
ordinant | *L'ordinant est un évêque.*

oui | *À la fin, il a dit « oui ».*
ouïe | *Il n'avait pas l'ouïe très fine.*

ouate | *On prend de l'ouate*
(ou de la ouate) pour les soins.
watt | *Le watt est une unité de puissance.*

372 p

pain | *avoir du pain sur la planche*
peint | *un bahut en bois peint*
pin | *une pomme de pin*

pairle | *émail de gueules à pairle d'azur*
(héraldique)
perle | *une perle de culture*

pair | *un nombre pair*
travailler au pair
paire | *une paire de jumelles*
père | *un bon père de famille*
pers | *des yeux pers*

pal | *le supplice du pal*
pale | *les pales de l'hélice*
pâle | *être pâle de peur*

palais	*un palais* [ε] *vénitien*
	faire claquer sa langue contre son
	palais [ε]
palé	*un écu palé* [e] *sable et argent*
	(héraldique)
palet	*Le palet* [ε] *fut détourné du but.*
pali	*Qui sait encore lire le pali ?*
palis	*Un palis est un pieu de palissade.*
palmaire	*la région palmaire interne à la main*
palmer	*mesurer une épaisseur au palmer*
pan	*un pan de son manteau*
	pan ! dans le mille
paon	*Le paon faisait la roue.*
pané	*une escalope panée*
panné	*Panné signifie sans un sou.*
paneton	*Le paneton est un panier dans lequel*
	on met les pâtons (morceaux de pâte
	à pain).
panneton	*Le panneton de la clé agit sur*
	le pêne.
panne	*La voiture tombe en panne.*
	la panne de velours
	la panne du cochon (graisse)
	Les chevrons sont soutenus par
	une panne, dans une charpente.
	la panne de l'horizon (nuages)
paonne	*La femelle du paon est la paonne.*
panser	*panser une plaie*
penser	*penser à l'avenir*
pensée	*J'ai cueilli des pensées.*
	J'ai eu une pensée pour toi.
pante	*Un pante est un individu*
	quelconque (familier).
pente	*un toit en pente douce*

par	*par ailleurs*
	C'était par trop tentant.
part	*à part entière*
	un faire-part de mariage
parti	*Il a adhéré à un parti politique.*
partie	*avoir affaire à forte partie*
	une partie de cartes
	une partie de la ville
pat	*Aux échecs, le pat entraîne*
	la nullité.
pâte	*une pâte à crêpes très réussie*
	les pâtes alimentaires
patte	*Ce chien traîne la patte.*
pâté	*le pâté de campagne*
pâtée	*la pâtée du chien*
patté	*une croix pattée*
pater	*réciter un pater (noster)*
patère	*une patère comme portemanteau*
paume	*la paume* [o] *de la main*
	le jeu de paume [o]
pomme	*une pomme* [ɔ] *verte*
	une pomme [ɔ] *d'arrosoir*
pause	*la pause de midi*
pose	*une pose avantageuse*
pauser	*pauser sur les syllabes finales*
poser	*poser des jalons*
peau	*la peau de l'ours*
pot	*un pot de fleurs*
	un coup de pot (familier)
peaucier	*un muscle peaucier*
peaussier	*Le peaussier fournit le tanneur.*
péché	*Ses péchés lui ont été pardonnés.*
pécher	*pécher par omission*
pêcher	*pêcher au harpon*
	les fleurs du pêcher

peine	Cela lui fit de la peine.	pineau	Le pineau est un vin de liqueur.
pêne	le pêne de la serrure	pinot	Le pinot noir est un cépage.
penne	la penne de la plume		
		pipeau	jouer du pipeau
pelletée	la dernière pelletée de terre		C'est du pipeau ! (familier)
peltée	La feuille de la capucine est peltée.	pipo	un candidat pipo (à Polytechnique)
peluche	un ours en peluche	piton	L'alpiniste enfonce un piton dans
pluche	la corvée de pluches		une faille.
			un piton rocheux
penon	Le penon indiquait des vents	python	Le python est un serpent.
	variables.		
pennon	un pennon de chevalier à lance	placage	un placage de bois précieux
		plaquage	un plaquage au rugby
perce	mettre un tonneau en perce		
perse	des langues perses	plaid	Le plaid est une assemblée judiciaire
	des rideaux en perse		ou une querelle.
		plaie	La plaie s'est infectée.
peu	C'est bien trop peu.		
peuh	Peuh ! Ça m'est égal !	plain	le plain-chant (musique vocale)
			de plain-pied
phénix	Le phénix est un oiseau fabuleux.	plein	faire le plein d'essence
phœnix	Un phœnix est un palmier		
	ornemental.	plaine	la plaine de Waterloo
		pleine	La coupe était pleine.
pi	Le nombre pi (π) est proche de 3,14.		
pie	La pie est jacasseuse et voleuse.	plainte	porter plainte
pis	le pis de la vache		la plainte du vent
	de mal en pis	plinthe	La plinthe cachait les fils
			électriques.
pic	Le pic noir est un oiseau.		
	à coups de pic	plan	le plan de la localité
	le pic du Midi		un miroir plan
pique	la pique du picador	plant	un plant de tomates
picage	Le picage est une maladie	plastic	un attentat au plastic
	des gallinacés.	plastique	les arts plastiques
piquage	un piquage à la machine		un sac en plastique
pieu	un pieu de fondation	pli	le pli du pantalon
pieux	un homme pieux et loyal	plie	La plie est un poisson plat.
pinçon	un pinçon sur la peau		
pinson	gai comme un pinson		

plus tôt	*Ce jour-là, il était parti plus tôt que d'habitude.*
plutôt	*plutôt partir avec un peu de retard, que ne pas partir du tout*

poêle	*la poêle à frire*
poêle	*le poêle (poële) à mazout*
poil	*une brosse en poil de sanglier*

poids	*un poids insuffisant*
pois	*le pois chiche*
poix	*enduire d'une poix épaisse*
pouah	*Pouah ! Que c'est vilain !*

poignée	*une poignée [e] de main chaleureuse*
	une poignée [e] de mécontents
poignet	*à la force du poignet [ɛ]*

poing	*faire le coup de poing*
point	*un joli point de vue*
	le point du jour
	les points et les virgules
	Ne forçons point notre talent.

poiré	*un petit verre de poiré*
poirée	*Les côtes de poirée étaient trop cuites.*

polissoir	*un polissoir de bijoutier*
polissoire	*une polissoire de coutelier*

pool	*Un pool est un groupement de producteurs.*
poule	*une poule au riz*
	Au rugby, les meilleures équipes de chaque poule sont qualifiées.

porc	*une côtelette de porc*
pore	*les pores de la peau*
port	*expédier en port dû*
	rentrer au port d'attache

pou	*des poux sur la tête*
pouls	*tâter le pouls*

pouce	*le pouce de la main*
	mesurer cinq pieds six pouces
	donner un coup de pouce
pousse	*une pousse de bambou*

poucettes	*mettre les poucettes au voleur (menottes)*
poussette	*Le bébé est dans sa poussette.*

poucier	*Le poucier protège le pouce.*
poussier	*Le poussier est de la poussière de charbon.*

poupard	*des joues de poupard*
poupart	*Un poupart est un gros crabe.*

pourquoi	*Pourquoi avez-vous ramassé cette pierre ?*
pour quoi	*Pour quoi aviez-vous pris cette pierre ? pour un véritable diamant ?*

pré	*Les vaches sont dans le pré [e].*
près	*près [ɛ] de la fenêtre*
prêt	*toujours prêt [ɛ]*
	un prêt [ɛ] sur l'honneur

préfix	*au jour et au lieu préfix*
préfixe	*Le préfixe s'oppose au suffixe.*
	le préfixe téléphonique

prémices	*les prémices de la vie (le commencement)*
prémisse	*les prémisses d'un raisonnement*

prou	*peu ou prou*
proue	*la proue du navire*
	une figure de proue

puis	*à droite, puis à gauche*
puits	*un puits creusé jadis par le puisatier*
puy	*un puy volcanique du Massif central*

373 q

quel que	quel qu'en soit le motif	queue	une queue de poisson
quelle qu'	quelle qu'en soit la raison	queux	Le maître queux s'est surpassé.
quelque	Il y a quelque deux cents ans		aiguiser le couteau sur la queux
	(il y a environ deux cents ans).		
	Ils étaient quelque peu fâchés	quoiqu'	quoiqu'il se fasse tard (bien que)
	(ils étaient assez fâchés, pas trop).	quoi qu'	Quoi qu'elle fasse, il est trop tard.
	Quelque méchants que vous		
	paraissent ces individus.		
	mille et quelques francs		

374 r

ra	un ra de tambour	raisonnement	un raisonnement [ɛ] déductif
ras	un chien à poils ras	résonnement	On dit plutôt résonance [e]
rat	un rat d'égout		que résonnement.
raz	un raz(-)de(-)marée		
		rami	Le rami est un jeu de cartes.
racket	déposer une plainte pour racket	ramie	Il s'était tissé une bâche en ramie.
raquette	une raquette de tennis		
		rancard	avoir un rancard (rencard),
radian	Le radian est une unité de mesure		un rendez-vous
	d'angle.	rancart	bon à mettre au rancart
radiant	L'astronome scrutait le radiant.		
	un ciel radiant	rauque	une voix rauque [o]
		roc	solide comme un roc [ɔ]
rai	un rai(s) [ɛ] de lumière	rock	le rock [ɔ] des années 60
raie	porter la raie [ɛ] à gauche	roque	le petit roque [ɔ], au jeu d'échecs
	une raie [ɛ] au beurre noir		
ré	do ré [e] mi	record	Le record du monde tomba.
rets	un lion pris dans les rets [ɛ]	recors	Le recors accompagnait l'huissier.
rez	au rez-de-chaussée [e]		
		recru	Recru de fatigue, il dormait
raid	un raid aérien		debout.
raide	tomber raide mort	recrû	Le recrû (des pousses) se développe
	une pente très raide		sur les souches.
		recrue	l'instruction des nouvelles recrues
rainette	La rainette [ɛ] est une grenouille.		
reinette	La reine des reinettes [ɛ] est	reflex	Un appareil reflex permet de
	une pomme très appréciée.		mieux cadrer l'image.
rénette	Le bourrelier avait égaré	réflexe	C'était un mouvement réflexe.
	sa rénette [e].		Il a eu un bon réflexe.

régal	un vrai régal
régale	l'eau régale (mélange d'acides)
	Le régale est une partie de l'orgue.
	La régale temporelle est un droit
	royal.
reine	la reine des abeilles
rêne	Le cocher tient les rênes.
renne	un troupeau de rennes
repaire	un repaire de brigands
repère	Le clocher sert de point de repère.
résidant	les personnes résidant dans ce pays
résident	les résidents étrangers
résonner	résonner faiblement
raisonner	Il faut raisonner avant d'agir.
revenu	l'impôt sur le revenu
revenue	La revenue du taillis était plus
	claire.
rho	La lettre grecque rho s'écrit r.
rot	Bébé doit faire son rot.
rôt	Rôt voulait dire rôti.
rhombe	Le rhombe est un losange.
rumb	Le rumb ou rhumb est une mesure
	d'angle.
ri	On n'a jamais tant ri.
ris	du ris de veau
	prendre un ris sur une voile
riz	une poule au riz
rob	Le rob a la consistance du miel.
robe	une robe de mariée
rocher	à flanc de rocher [e]
rochet	une roue à rochet [ɛ]
	Un rochet [ɛ] était une tunique
	courte.

roder	roder les soupapes
rôder	rôder dans les parages
roman	Il voulait lire un roman.
	un chapiteau roman
romand	le pays romand, sur les rives
	du Léman
rondeau	danser un rondeau de l'ancien
	temps
rondo	La sonate s'achève sur un rondo.
rondel	Pour rondeau, on disait aussi
	rondel.
rondelle	une rondelle de saucisson
rosé	un petit rosé de Provence bien
	frais
rosée	la rosée des matins d'automne
roser	roser (teindre) le coton
rot	Le rot est une maladie de
	la vigne.
rote	La rote est un tribunal
	ecclésiastique.
	Les cordes de la rote étaient
	pincées.
rôti	un rôti de veau dans la noix
rôtie	un œuf poché sur rôtie
roue	La roue tourne.
roux	préparer d'abord un roux blanc
	des cheveux roux
ru	Un ru est un ruisselet.
rue	une rue piétonne
	La rue est aussi une plante
	à fleurs jaunes.

sachée	*une sachée* [e] *(un sac) de thé*	sceller	*sceller une amitié*
sachet	*un sachet* [ɛ] *de graines*	scellés	*On a mis les scellés sur la porte.*
		seller	*seller une mule*
saigneur	*un saigneur de porc*	celer	*celer un sentiment*
seigneur	*à tout seigneur tout honneur*		
		sceptique	*une attitude sceptique*
sale	*du linge sale*	septique	*une fosse septique*
salle	*une salle d'attente*		
		sciène	*La chair de la sciène (un poisson)*
saoul	*Il était complètement saoul (soûl).*		*est très estimée.*
sou	*n'avoir pas un sou en poche*	sienne	*faire des siennes*
soue	*Une soue était une étable à cochons.*		
sous	*une cachette sous le plancher*	scieur	*le scieur de bois*
		sieur	*le sieur untel*
satire	*Cette pièce est une satire de la vie*		
	politique.	scythe	*l'art scythe ou scythique*
satyre	*Le satyre attendait ses victimes*	site	*Le site offrait une vue panoramique.*
	dans le bois		
		sèche	*rester en panne sèche*
satirique	*un journal satirique*	seiche	*un os de seiche*
satyrique	*une danse satyrique*		
		seime	*La seime est une maladie du sabot.*
saule	*un saule* [o] *pleureur*	sème	*Le sème est une unité*
sol	*Le sol* [ɔ] *était détrempé.*		*de signification.*
	Il n'avait plus un sol [ɔ]*.*		
	sol [ɔ] *dièse*	serein	*Le ciel était serein.*
sole	*une sole* [ɔ] *de charpente*	serin	*Le serin chantait dans sa cage.*
	La sole [ɔ] *est un poisson.*		
		serment	*Il a fait le serment de ne plus mentir.*
saur	*un hareng saur*	serrement	*un serrement de gorge*
sore	*Les sporanges de la fougère forment*		
	un sore.	si tôt	*Ils marquèrent si tôt que leur public*
sort	*jeter un mauvais sort*		*en fut presque déçu.*
		sitôt	*Sitôt qu'ils eurent marqué un but,*
saut	*le saut de carpe*		*ils jouèrent la défense.*
seau	*un seau d'eau*		
sceau	*un sceau royal*	silphe	*Le silphe s'attaque aux betteraves.*
sot	*Il est sot et prétentieux.*	sylphe	*Le sylphe était le génie de l'air.*
saute	*une saute* [o] *d'humeur imprévisible*	soc	*le soc de la charrue*
sotte	*Tu n'es qu'une petite sotte* [ɔ]*.*	socque	*Le socque était une chaussure basse*
			des acteurs de la comédie.

soi   *prendre sur soi*
     un soi-disant amateur d'art

soie   *un ruban de soie*
     la soie de la lame (partie opposée
     à la pointe)

soit   *une tonne, soit mille kilos*

somation   *la somation biologique*
     des caractères

sommation   *Après la troisième sommation, il tira.*

spath   *Le spath est une substance minérale.*
spathe   *une spathe gauloise (une épée)*

spiral   *un ressort spiral*
spirale   *une spirale de fumée*

spore   *la spore du champignon*
sport   *un sport d'équipe*

statu   *Le statu quo n'arrangeait personne.*
statue   *une statue équestre au milieu*
     de la place
statut   *le nouveau statut des professeurs*

subi   *un pouvoir autoritaire longtemps*
     subi

subit   *un renversement subit de*
     la situation

succin   *Le succin est un ambre jaune.*
succinct   *un traité plutôt succinct*

super   *vingt litres de super*
     C'est super ! (familier)
supère   *L'ovaire supère du lys.*

sur   *jouer cartes sur table*
sûr   *être sûr de son affaire*
sure   *une pomme sure (acide)*

sureau   *la confiture de sureau*
suros   *un cheval atteint de suros*

surfait   *Ce spectacle est surfait.*
surfaix   *Le surfaix du harnais est usé.*

376   t

ta   *C'est l'heure de ta tisane.*
tas   *un tas d'ennuis*

tache   *une tache [a] d'encre indélébile*
tâche   *une tâche [ɑ] difficile, mais noble*

tacher   *tacher un pantalon*
tâcher   *tâcher de le nettoyer*

tachine   *Le (ou la) tachine est une grosse*
     mouche.
taquine   *Elle était d'humeur taquine.*

taie   *une taie d'oreiller*
têt   *un têt de chimiste (pour tester)*

tain   *une glace sans tain*
teint   *un tissu grand teint*
thym   *du thym et du laurier*
tin   *Un tin en bois supporte la quille*
     d'un navire en construction.

taire   *Il faut se taire.*
ter   *le numéro sept ter*
terre   *la terre promise*

taler   *taler les pommes*
taller   *taller le gazon au rouleau*

talle   *un pied de vigne bien fourni*
     en talles
thalle   *le thalle du champignon*

tan	*Le tan sert à préparer le cuir.*	té	*tracer des parallèles à l'aide d'un té*
tant	*tant pis ou tant mieux*		*un fer à double té (ou T)*
taon	*Le taon ne pique pas, il mord.*	thé	*une tasse de thé*
temps	*Aura-t-on le temps ?*		
	Le temps s'améliore.	teinter	*teinter une feuille de papier*
		tinter	*tinter le glas*
tante	*une vieille tante charmante*		
tente	*une tente d'Indien*	tel	*tel maître, telle classe*
		tell	*Ce tell intriguait les archéologues.*
tapi	*un guépard tapi dans les herbes*	terme	*au terme de sa carrière*
tapis	*un accroc au tapis du billard*		*les termes du contrat*
		thermes	*les thermes gallo-romains*
taraud	*un taraud en acier trempé*		
taro	*Le taro est une plante tropicale*	termite	*Le termite ronge le bois.*
	aux fruits comestibles.	thermite	*La thermite est un mélange*
tarot	*une partie de tarots*		*pulvérisé de métaux.*
tard	*Ils arrivèrent trop tard.*	thon	*la pêche au thon en Méditerranée*
tare	*Il y manquait le poids de la tare.*	ton	*Ton partenaire s'est trompé de ton.*
	les tares humaines		
		thrombine	*La thrombine intervient dans*
tau	*Le tau grec (τ) s'oppose au thêta (θ).*		*la coagulation.*
taud	*s'abriter sous le taud d'un bateau*	trombine	*les trombines des camarades*
taux	*à quel taux emprunter ?*		*(familier)*
tôt	*Il est encore trop tôt pour le dire.*		
		tic	*un tic nerveux*
taule	*aller en taule (argot)*	tique	*La tique est un parasite du chien.*
	louer une taule (familier)		
tôle	*de la tôle ondulée*	tir	*le tir à l'arc*
		tire	*une tire en mauvais état (argot)*
taupe	*myope comme une taupe* [o]		*la tire du blason*
	Une classe de taupe [o] *prépare*		*un voleur à la tire*
	aux grandes écoles.		*la tire d'érable (sirop)*
top	*être prêt au top* [ɔ]		
	un top [ɔ] *model*	tirant	*le tirant d'eau d'un voilier*
		tyran	*Ce tyran semait la terreur.*
taure	*Une taure est une génisse.*		
tore	*le tore d'une colonne de marbre*	toc	*Ce n'est pas du toc.*
torr	*Le torr est une unité de mesure*		*et toc !*
	pour faible pression.	toque	*une toque de fourrure*
tors	*un fil tors (tordus)*		
tort	*On n'a pas toujours tort.*	toi	*toi et moi*
		toit	*un toit d'ardoises*
tauride	*L'astronome observait les taurides.*		
torride	*L'été fut torride.*		

tome	un dictionnaire en huit tomes		tribal	le chef tribal
tomme	une tomme de Savoie		triballe	Une triballe est une tringlette de fer.
tour	le tour du monde			
	les créneaux de la tour		tribu	la tribu indienne
tourd	Le tourd est un oiseau, c'est aussi le nom d'un poisson.		tribut	payer un lourd tribut
			trick	Le trick est une levée au bridge.
tournoi	un tournoi régional de tennis		trique	sec comme un coup de trique
tournois	Le tournois était frappé à Tours (monnaie).		troc	faire du troc sur un marché
			troque	La troque (troche) est un coquillage.
trac	avoir le trac			
	tout à trac		troche	La troche a une forme de toupie.
traque	la traque du grand gibier		troches	Le vigneron attache les troches (sarments).
train	mener grand train			
	le train d'atterrissage		troll	Un troll est un lutin.
	un train de marchandises		trolle	chasser le cerf à la trolle
trin	Trin a le sens de trinitaire.			
			trop	Il est trop tard pour partir.
trait	un trait de crayon		trot	une course de trot attelé
très	C'est très beau.			
			truc	Il a un truc ! ce n'est pas possible.
tram	Tram est l'abréviation de tramway.		truck	la plate-forme du truc(k) (chariot)
trame	Un tamis usé jusqu'à la trame.			
			turbo	un moteur turbo
tramp	Ce tramp ne trouvait plus de fret.		turbot	du turbot à l'oseille
trempe	la trempe de l'acier			
	filer une trempe (familier)			
trépan	Le chirurgien prit le trépan.			
trépang	Le trépang (tripang) est comestible.			

377 V

vain	un espoir vain		vair	la pantoufle de vair
vin	soutirer du vin		ver	le ver de terre
vingt	vingt mille lieues		verre	un verre de bière
			vers	un vers de douze pieds, en poésie
vaine	une tentative vaine			marcher vers la vérité
veine	une piqûre dans la veine		vert	se mettre au vert
	Il a de la veine.			un dépôt de vert-de-gris
				un drapeau vert

valet	un *fidèle valet* [ɛ] *de chambre*	vil	*à vil prix*
vallée	*une vallée* [e] *fertile*		*un vil suborneur*
		ville	*la vieille ville*
van	*le van du cheval de course*		
	un van en osier	viol	*le viol des consciences*
vent	*Le vent se leva brusquement.*	viole	*un joueur de viole*
			Ne tirez qu'au visé !
vantail	*un vantail d'armoire*		
ventail	*Le ventail laisse passer l'air,*	visé	*la ligne de visée*
	le vent.	visée	*Ses visées politiques nous rendent*
			sceptiques.
vanter	*vanter les mérites de quelqu'un*		*viser avec un fusil*
venter	*venter et pleuvoir*	viser	*viser la députation*
			viser un passeport
varan	*Le varan est un reptile carnivore.*		
warrant	*Le warrant est un effet de commerce.*	voie	*une voie à sens unique*
		voix	*Il avait une voix éraillée.*
vaux	*par monts et par vaux*		
veaux	*des veaux élevés en liberté*	vol	*le vol à voile*
vos	*Vos projets vont à vau-l'eau.*		*le vol à la tire*
		vole	*réussir la vole aux cartes*
venu	*le premier venu*		
venue	*la venue du printemps*	volatil	*un produit volatil*
		volatile	*un volatile lourdaud*
vergé	*un tirage de luxe sur vergé (type*		
	de papier)	volt	*Le volt est une unité de mesure*
verger	*Le verger est en fleurs.*		*de la force électrique.*
		volte	*la volte du cheval de cirque*
verni	*Ce meuble a été verni.*		
	Tu es verni ! (familier)	votre	*Voici votre* [ɔ] *part.*
vernis	*le vernis d'un tableau*	vôtre	*à la bonne vôtre* [o]
	Le vernis est un mollusque.		
		vu	*vu les circonstances*
vice	*l'horreur du vice*	vue	*une vue imprenable*
	le vice-président		
vis	*Il a perdu une vis.*		

Il existe des cas d'homonymie entre un nom et une ou plusieurs formes verbales.

Les listes suivantes (paragraphes 378 et 379) présentent des regroupements de ce genre, mais sans toujours offrir de contexte.

Voici cependant trois exemples explicites :

HOMONYMES	EXEMPLES
signe	*un mauvais signe*
cygne	*un cygne noir*
signent	*Ils signent.*
ais	*l'ais du relieur*
est	*Il est temps de terminer.*
ait	*Qu'il ait ce qu'il demande.*
cru	*un bon petit cru*
	Moi aussi, j'ai cru cela (**croire**).
crue	*la crue du Nil*
	la viande crue
crut	*On n'en crut pas un mot* (**croire**).
crût	*La rivière crût encore* (**croire**).

une agression
nous agressions

de l'ail
que j'aille...

une arête
j'arrête...

un atèle
une attelle
j'attelle...

un avion
nous avions

bah !
bas
le bât
je bats...

du bois
je bois...

une boîte
je boite...

de la boue
un bout
je bous...

un bourg
une bourre
je bourre...

chaud
de la chaux
un show
il lui chaut

le cou
un coup
le coût
je couds...

crac !
un crack
des craques
un krak
je craque

une dyne
je dîne...

un écossais
j'écossais...

un emploi
j'emploie...

de l'étain
éteint
j'éteins...

une face
une fasce
que je fasse...

la faim
feint
la fin
je feins...

le faîte
une fête
vous faites

du fil
une file
je file...

le flou
je floue...

le for
fors
un fort
je fore...

un four
je fourre...

le frai
frais
du fret
je fraie...

gauss
un gosse
je me gausse...

un glaçon
nous glaçons

haute
un hôte
j'ôte...

lai
laid
la laie
les lais
du lait
je laie...

lice
un lis (lys)
lisse
je lisse...

un loup
je loue...

un maure
le mors
un mort
je mords...

un métis
une métisse
je métisse...

mi
de la mie
je mis...

une mission
que nous missions

mou
du moût
je mouds...

ni
un nid
je nie...

une noix
je noie...

la noue
nous
je noue...

du pain
peint
un pin
je peins...

pair
paire
un père
pers
je perds...

un parti
une partie
je partis...

une passion
nous passions

une peine
le pêne
la penne
je peine...

un perse
je perce...

peu
peuh !
je peux...

un pic
une pique
je pique...

un plaid
je plaide...

un plaid
une plaie
je plais...

du plastic
du plastique
je plastique...

un pli
une plie
je plie

un pouf
je pouffe...

prête
je prête...

une puce
que je pusse

rauque
un roc
un roque
je roque...

un réveil
je réveille...

une roue
roux
je roue...

sain
un saint
un sein
un seing
je ceins...

du sang
sans
cent
je sens...

saur
un sort
je sors...

un savon
nous savons

une serre
je serre...

un site
je cite...

soi
de la soie
que je sois...

une somme
nous sommes

de la soude
je soude...

du soufre
je souffre...

un sourd
elle sourd

une souris
je souris...

un(e) tachine
je taquine...

du tan
tant
un taon
le temps
je tends...

une taure
tors
tort
je tords...

un tic
une tique
je tique...

le tien
je tiens...

une tire
je tire...

un trafic
je trafique...

un troc
je troque...

tu
(je me suis) tu...

un van
du vent
je vends...

un vau
un veau
vos
je vaux...

une voie
une voix
je vois...

un bail
une (la) baille
je baille… (bailler)
je bâille… (bâiller)
je baye… (bayer)

un but
une butte
je bute… (buter)
vous bûtes (boire)
je butte… (butter)

celle
du sel
une selle
je cèle… (celer)
je scelle… (sceller)
je selle… (seller)

un cerf
une serre
un serf
je serre… (serrer)
je sers… (servir)

un compte
un comte
un conte
je compte… (compter)
je conte… (conter)

une croix
je crois… (croire)
je croîs… (croître)

un étang
étant (être)
j'étends… (étendre)

du fer
faire (infinitif)
je ferre… (ferrer)
le fond
un (les) fonds
les fonts
je fonds… (fondre)
ils font (faire)

du lut
un luth
une lutte
je lute… (luter)
je lutte… (lutter)

un mur
mûr
mûre
elles murent (mouvoir)
je mure… (murer)

par
le part
une part
je pare… (parer)
je pars… (partir)

un prix
je prie… (prier)
je pris… (prendre)

le tain
le teint
du thym
un tin
je teins… (teindre)
je tins… (tenir)

une teinte
teinte (teindre)
je teinte… (teinter)
je tinte… (tinter)

vain
du vin
vingt
je vaincs… (vaincre)
je vins… (venir)

un vice
une vis
je visse… (visser)
que je visse… (voir)

Vous trouverez dans ce chapitre une occasion de recherche et de jeu sur les mots. Avec un peu d'imagination, il est possible d'exploiter certaines ambiguïtés liées au découpage des mots.

De sa fenêtre, le notaire observe les clercs ou l'éclair.
Le paysan observe les pis ou l'épi ou les pies.
Le faussaire reproduit les toiles ou l'étoile.

380 l'é – les

l'ébène – les bennes
l'écaille – les cailles
l'écart – les cars – les quarts – les carres
l'échangeur – les changeurs
l'échanson – les chansons
l'échec – les chèques – les cheik(h)s (scheiks)
l'écheveau – les chevaux
l'échoppe – les chopes
l'éclair – les clercs
l'écluse – les cluses
l'école – les colles
l'écorce – les Corses
l'écran – les crans
l'écrin – les crins
l'écurie – les curies
l'édifice – les dix fils
l'édit – les dits
l'effet – les faits
l'effort – les forts
l'effroi – les froids
l'effusion – les fusions
l'égard – les gares
l'égout – les goûts
l'élan – les lents
l'électeur – les lecteurs
l'élocution – les locutions
l'éloge – les loges
l'élytre – les litres
l'émail – les mailles

l'émérite – les mérites
l'émeute – les meutes
l'émigrant – les migrants
l'émir – les mires – les myrrhes
l'émission – les missions
l'émoi – les mois
l'émotif – les motifs
l'émotion – les motions
l'énorme – les normes
l'épais – les paix
l'épar(t) – les parts
l'épaule – les pôles
l'épeire – les pères
l'épi – les pis – les pies
l'épieu – les pieux
l'épique – les piques
l'époux – les poux
l'épreuve – les preuves
l'épure – les pures
l'érable – les râbles
l'érection – les rections
l'errant – les rangs
l'eschatologie – les scatologies
l'essai – les saies
l'essaim – les seins – les saints – les seings
l'essence – les sens
l'essieu – les cieux
l'essor – les sorts
l'estoc – les stocks

l'étable — les tables
l'étain — les teints — les tains — les tins
l'étalon — les talons
l'étang – les temps — les taons
l'état — les tas
l'étau — les taux
l'été — les thés
l'éther — les terres

l'éthique — les tics – l'étique – les tiques
l'étoile — les toiles
l'étrenne — les traînes
l'étrille — les trilles
l'étroit — les trois
l'éveil — les veilles
l'évocation — les vocations

REM L'ambiguïté n'est jamais totale, en raison du rôle important joué par l'intonation.

381 l'a – la

l'acerbe — la Serbe
l'airain — les reins
l'aisselle — les selles
l'ajout — la joue
l'alêne — l'haleine — la laine
l'allocataire — la locataire
l'allocation — la location
l'alogique — la logique
l'aloi — la loi
l'amarre — la mare
l'amer — la mer — la mère
l'amie — la mie
l'amine — la mine
l'annotation — la notation
l'anormal — la normale
l'apesanteur — la pesanteur
l'apolitique — la politique

l'appareil — la pareille
l'aqueux — la queue
l'arôme — la Rome [o/ɔ]
l'aronde — la ronde
l'arrêt — la raie
l'asocial — la « sociale »
l'Assyrie — la scierie — la Syrie
l'atoll — la tôle [ɔ/o]
l'atome — la tomme [o/ɔ]
l'attente — la tente — la tante
l'attention — la tension
l'attique — la tique
l'avaleur — la valeur
l'avarice — la varice
l'avenue — la venue
l'aversion — la version
l'avisé — la visée

382 Les principales racines grecques et latines

RACINE		SENS	EXEMPLES
aéro-	gr.	air	*aérodrome, aéronaute*
-agogie	gr.	guide	*pédagogie*
-agogue	gr.	guide	*démagogue*
agro-	lat.	champ	*agriculture, agronomie*
-algie	gr.	douleur	*névralgie, antalgique*
allo-	gr.	autre	*allogène, allomorphe*
andro-	gr.	homme	*androgyne*
anthropo-	gr.	être humain	*anthropologue, anthropophage*
aqu-	lat.	eau	*aquiculture, aqueduc*
archéo-	gr.	ancien	*archéologie*
-archie	gr.	commandement	*anarchie*
-arque	gr.	commandement	*monarque*
arthro-	gr.	articulation	*arthrite*
astro	gr.	astre	*astronomie, astronaute*
auri-	lat.	oreille	*auriculaire*
auto-	gr.	lui-même	*autodestruction*
avi-	lat.	oiseau	*avion, aviation*
bary-	gr.	pression	*baromètre, barycentre*
biblio-	gr.	livre	*bibliophile, bibliothèque*
bio-	gr.	vie	*biologie, antibiotique*
brachy-	gr.	court	*brachycéphale*
calor-	lat.	chaleur	*calorifère, calorique*
cardio-	gr.	cœur	*cardiogramme, cardiologue*
carni-	lat.	chair	*carnivore*
céphal-	gr.	tête	*céphalopode, encéphalite*
chiro-	gr.	main	*chiropracteur, chirurgien*
chromo-	gr.	couleur	*chromatologie*
chrono-	gr.	temps	*chronomètre, chronologie*
cinéma-	gr.	mouvement	*cinématique*
cinét-	gr.	mobile	*cinétique*
col-	gr.	bile	*colère, mélancolie*
cosmo-	gr.	monde (ordre)	*cosmopolite, cosmique*
-crate	gr.	puissance	*phallocrate*
-cratie	gr.	puissance	*démocratie*
crypto-	gr.	caché	*cryptogame, décryptage*
cyano-	gr.	bleu	*cyanosé, cyanure*

RACINE		SENS	EXEMPLES
cyclo-	gr.	cercle	*bicyclette, cyclothymique*
cyto-	gr.	cellule	*cytoplasme*
dactylo-	gr.	doigt	*dactylographier*
démo-	gr.	peuple	*démographie, démocratie*
derm(o)-	gr.	peau	*dermique*
-derme	gr.	peau	*épiderme*
didact-	gr.	enseigner	*didactique*
digi(to)-	lat.	doigt	*digitale*
-doxe	gr.	opinion	*orthodoxe, paradoxe*
-drome	gr.	course, champ	*aérodrome, hippodrome*
dynamo-	gr.	force	*dynamique*
-èdre	gr.	face	*polyèdre, tétraèdre*
équi-	lat.	égal	*équilatéral, équivalent*
-fère	lat.	porter	*téléférique, aurifère*
galacto-	gr.	lait	*galactorrhée*
gastéro-	gr.	estomac	*gastéropode, gastrite*
-gène	gr.	qui engendre	*cancérigène, pathogène*
géo-	gr.	terre	*géographie, géologie*
gluco-	gr.	doux (sucré)	*glucide*
glyco-	gr.	doux (sucré)	*glycérine*
-gone	gr.	angle	*pentagone, polygone*
-gramme	gr.	lettre	*télégramme, épigramme*
grapho-	gr.	écrire	*graphique, graphologie*
gynéco-	gr.	femme	*gynécologue*
gyno-	gr.	femme	*gynécée*
hélio-	gr.	soleil	*héliothérapie, héliotrope*
hémato-	gr	sang	*hématome*
hémo-	gr.	sang	*hémoglobine*
hétéro-	gr.	autre	*hétérogène, hétérosexuel*
hippo-	gr.	cheval	*hippodrome, hippique*
holo-	gr.	entier	*holocauste (= brûler tout entier)*
homéo-	gr	semblable	*homéopathie*
homo-	gr.	semblable	*homosexuel*
homo-	lat.	homme	*homicide*
horo-	gr.	heure	*horoscope*
hydro-	gr.	eau	*hydravion, hydraulique*
hygro-	gr.	humide	*hygrométrique*
hypno-	gr.	sommeil	*hypnose, hypnotique*
icono-	gr.	image	*icône, iconographie*
iso-	gr.	égal	*isotherme, isocèle*
kinési-	gr.	mouvement	*kinésithérapeute*
lacto-	lat.	lait	*lacté, lactique*
latéro-	lat.	côté	*équilatéral, quadrilatère*

RACINE		SENS	EXEMPLES
leuco-	gr.	blanc	*leucémie, leucocyte*
litho-	gr.	pierre	*lithographie*
-lithe	gr.	pierre	*paléolithique*
logo-	gr.	discours	*logorrhée*
-logue	gr.	discours	*monologue*
-lyse	gr.	dissolution	*analyse, électrolyse*
macro-	gr.	grand	*macrocosme, macrophotographie*
mam(m)-	lat.	mamelle	*mammifère, mammaire*
-manie	gr.	folie	*cléptomanie*
-mane	gr.	folie	*nymphomane*
méga-		grand	*mégalithe*
mégalo-	gr.	grand	*mégalomanie*
mélano-	gr.	noir	*mélancolie*
méso-	gr.	au milieu	*Mésopotamie*
méta-	gr.	transformer	*métamorphose*
métro-	gr.	mesure	*métronome*
-mètre	gr.	mesure	*kilomètre*
micro-	gr.	petit	*microphone, microscope*
miso-	gr.	haïr	*misogyne, misanthrope*
-mobile	lat.	qui se meut	*automobile*
mono-	gr.	seul	*monarchie, monoculture*
morpho-	gr.	forme	*morphologie, polymorphe*
multi-	lat.	nombreux	*multinationale, multicolore*
myo-	gr.	muscle	*myocarde, myopathie*
mytho-	gr.	légende	*mythologie, mythique*
naut-	lat.	matelot	*nautique, cosmonaute*
nécro-	lat.	mort	*nécrologie, nécropole*
néo-	gr.	nouveau	*néologisme, néophyte*
neuro-	gr.	nerf	*neurologue, neurone*
-nome	gr	loi	*agronome*
-nomie	gr.	loi	*astronomie*
nyct-	gr.	nuit	*nyctalope*
oléo-	lat.	huile	*oléagineux, oléoduc*
oligo-	gr.	peu nombreux	*oligarchie, oligospermie*
omni-	lat.	tout	*omnivore, omnisports*
onom-	gr.	nom	*onomatopée*
-onyme	gr.	nom	*homonyme, patronyme*
-ope	gr.	œil	*myopie, hypermétropie*
ophtalmo-	gr.	œil	*ophtalmie*
ornitho-	gr.	oiseau	*ornithologique*
ortho-	gr.	droit	*orthographe, orthophonie*
oto-	gr.	oreille	*otite, oto-rhino-laryngologiste*
ovo-	lat.	œuf	*ovocyte, ovulation*

RACINE		SENS	EXEMPLES
oxy-	gr.	acide	*oxygène, oxydation*
paléo-	gr.	ancien	*paléolithique*
pan-	gr.	tout	*panorama, panthéon*
patho-	gr.	souffrance	*pathologique, sympathie*
patr(i)-	lat.	père	*patriarche, patronymique*
péd-	gr.	enfant	*pédiatre, pédagogie*
pédi-	lat.	pied	*pédestre, pédicure*
pédo-	gr.	enfant	*pédologie, pédophilie*
pétro-	lat.	pierre	*pétrochimie, pétrole*
phago-	gr.	manger	*phagocyte*
-phage	gr.	manger	*anthropophage*
-phane	gr.	paraître (briller)	*diaphane*
phanéro-	gr.	visible	*phanérogame*
philo-	gr.	qui aime	*philosophe*
-phile	gr.	qui aime	*francophile*
-phobe	gr.	qui craint	*claustrophobe*
-phobie	gr.	qui craint	*xénophobie*
-phone	gr.	voix, son	*téléphone*
phono-	gr.	voix, son	*phonétique*
-phore	gr.	porter	*métaphore, sémaphore*
photo-	gr.	lumière	*photocopie, photographie*
phyllo-	gr.	feuille	*chlorophylle, phylloxéra*
phylo-	gr.	tribu, espèce	*phylogenèse*
physio-	gr.	nature	*physiologie, physionomie*
phyto-	gr.	plante	*phytoplancton, phytothérapie*
pisci-	lat.	poisson	*piscine, pisciculture*
pneum(o)-	gr.	souffle, poumon	*pneumatique, pneumonie*
podo-	gr.	pied	*podologie*
poli-	gr.	ville, cité	*politique*
-pole	gr.	ville, cité	*métropole*
poly-	gr.	plusieurs, nombreux	*polysémie, polygone*
potam-	gr.	fleuve	*hippopotame*
psych(o)-	gr.	âme, esprit	*psychiatre, psychologue, métempsycose*
ptéro-	gr.	aile	*hélicoptère, ptérodactyle*
pyro-	gr.	feu	*pyrogravure, pyromane*
radio-	lat.	rayon	*radioactivité, radiologie*
rect(i)-	lat.	droit	*rectangle, rectiligne*
rhé(o)-	gr.	couler	*aménorrhée, logorrhée*
rhino-	gr.	nez	*rhinocéros, rhinite*
rhizo-	gr.	racine	*rhizome*
-scope	gr.	examiner	*microscope, télescope*
séma-	gr.	signe	*sémantique*
sémio-	gr.	signe	*sémiologie*

RACINE		SENS	EXEMPLES
télé-	gr.	au loin	*télépathie, télévision*
thalasso-	gr.	mer	*thalassothérapie*
théo-	gr.	dieu	*polythéisme, théologie*
-thèque	gr.	lieu de rangement	*bibliothèque, phonothèque*
thérap(eu)-	gr.	soigner	*psychothérapie, thérapeute*
-thèse	gr.	action de poser	*hypothèse, synthèse*
-tomie	gr.	action de couper	*anatomie, mammectomie*
topo-	gr.	lieu	*topologie, toponyme*
-trope	gr.	tourner	*héliotrope*
-trophie	gr.	nourriture	*atrophie, hypertrophie*
-vore	lat.	manger	*carnivore, herbivore*
xéno-	gr.	étranger	*xénophobe*
xylo-	gr.	bois	*xylophage, xylophone*
zoo-	gr.	animal	*zoologique*

383 Préfixes d'origine savante

RACINE		SENS	EXEMPLES
a-	gr.	privatif	*atypique*
an-	gr.	privatif	*analphabète*
ab-	lat.	éloignement	*abstraction*
ana-	gr.	en remontant, par	*analyse, anagramme*
anté-	lat.	avant, devant	*antécédent, antérieur*
anti-	gr.	contre	*antigel, antivol*
apo-	gr.	à partir de	*apothéose, apogée*
cata-	gr.	en bas	*catacombe, catalyse*
circum-	lat.	autour de	*circonférence, circonscription*
cis-	lat.	en deçà de	*cisalpin*
co-	lat.	avec, achèvement	*coopérer*
com-	lat.	avec, achèvement	*comité, compassion*
con-	lat.	avec, achèvement	*concevoir*
dia-	gr.	à travers	*diapositive, diachronie*
dys-	gr.	difficulté, trouble	*dyslexie, dystrophie*
ecto-	gr.	en dehors	*ectoplasme*
en-	gr.	dans	*endettement, enraciné*
endo-	gr.	dedans	*endogène, endogamie*
épi-	gr.	sur	*épiderme, épigramme*
eu-	gr.	bien	*euphorie, euthanasie*
ex-	lat.	hors de	*exhumation, expatrié*
exo-	gr.	dehors	*exogamie*
extra-	lat.	au-delà	*extrapolation*
hyper-	gr.	sur, plus	*hypertension, hypertrophie*
hypo-	gr.	sous	*hypothèse, hypoglycémie*

RACINE		SENS	EXEMPLES
in-	lat.	dans	*inhalation, inhérent*
in-	lat.	négatif	*incurable, indigne*
inter-	lat.	entre	*interaction*
intra-	lat.	dedans	*intraveineux*
intro-	lat.	dedans	*introduction*
juxta-	lat.	à côté de	*juxtaposition*
méta-	gr.	après	*métaphysique*
para-	gr.	près	*parapsychologie, paragraphe*
para-	gr.	contre	*parapluie, parasol*
péné-	lat.	presque	*péninsule, pénéplaine*
per-	lat.	par, à travers	*perforateur*
péri-	gr.	autour	*périphérique, périscope*
pré-	lat.	devant, avant	*préfixe, préhistoire*
pro-	lat.	pour	*prolongation, pronom*
ré-	lat.	répétition, retour	*régression, réitération*
rétro-	lat.	en arrière	*rétroviseur, rétroactif*
semi-	lat.	à moitié, demi	*semi-conducteur*
sub-	lat.	sous	*subaquatique, suburbain*
super-	lat.	sur	*supermarché, supérieur*
supra-	lat.	au-dessus	*supranational, supraterrestre*
syn-	gr.	avec	*synchronie, synonyme, sympathie*
trans-	lat.	au-delà de, à travers	*transmetteur, transatlantique*
ultra-	lat.	au-delà de	*ultrason, ultraviolet*

384 Préfixes exprimant la quantité

FRANÇAIS	LATIN	GREC
un	*uni- (unicellulaire)*	*mono- (monologue)*
deux	*bi-, bis- (bicorne)*	*di- (diptère)*
trois	*tri- (trinôme)*	*tri- (trigonométrie)*
quatre	*quadri- (quadrilatère)*	*tetra- (tétraèdre)*
cinq	*quinqu- (quinquennal)*	*penta- (pentagone)*
dix	*déci- (décimètre)*	*déca- (décathlon)*
cent	*centi- (centimètre)*	*hecto- (hectolitre)*
mille	*mill- (millimètre)*	*kilo- (kilogramme)*
dix mille		*myria- (myriapode)*
demi	*semi- (semi-conducteur)*	*hémi- (hémicycle)*

TOLÉRANCES ORTHOGRAPHIQUES

385-393

Les numéros renvoient aux numéros des paragraphes.

Certains mots ont deux orthographes possibles, que l'Académie française ou les principaux dictionnaires ont enregistrées, souvent à titre de variantes. L'Académie française enregistre et recommande les rectifications publiées au Journal officiel du 6 décembre 1990 en spécifiant : « Aucune des deux graphies ne peut être tenue pour fautive » (Dictionnaire de l'Académie, 9ᵉ édition, 1993).

385 L'accent circonflexe

- L'accent circonflexe n'est plus obligatoire sur les voyelles *i* et *u*.

ANCIENNE ORTHOGRAPHE	NOUVELLE ORTHOGRAPHE
abîme	*abime*
abîmer	*abimer*
accroître	*accroitre*
août	*aout*
apparaître	*apparaitre* (**et tous les verbes en** *-aître*)
boîte	*boite*
brûler	*bruler*
chaîne	*chaine* (**et tous les verbes en** *-chaîner*)
connaître	*connaitre* (**et tous les verbes en** *-connaître*)
coût	*cout*
coûter	*couter*
croûte	*croute*
dîner	*diner*
emboîter	*emboiter*
encroûter	*encrouter*
entraîner	*entrainer*
flûte	*flute*
flûtiste	*flutiste*
fraîche	*fraiche*
fraîcheur	*fraicheur*
goût	*gout*
goûter	*gouter*
île	*ile*
maître	*maitre*
maîtresse	*maitresse*
maîtrise	*maitrise* (**et le verbe** *maîtriser*)
mûre	*mure*
plaît	*plait*

ANCIENNE ORTHOGRAPHE	NOUVELLE ORTHOGRAPHE
presqu'île	*presqu'ile*
ragoût	*ragout*
sûre	*sure*
sûrement	*surement*
sûreté	*sureté*
traîner	*trainer*
traître	*traitre*
traîtrise	*traitrise*

⚠ **Il faut maintenir l'accent circonfléxe sur les terminaisons des verbes.**

nous suivîmes — nous voulûmes **(passé simple)**

qu'il suivît — qu'il voulût **(imparfait du subjonctif)**

REM   Certains mots conservent leur accent circonflexe parce qu'il permet
de les distinguer d'autres mots homonymes.

du lait, la porte du jardin — j'ai dû courir

un grand mur — un fruit mûr

sur la table — sûr de lui

- **Les noms propres et leurs adjectifs dérivés conservent également leur accent circonflexe.**

Nîmes   *nîmois*

386 **L'accent grave sur le e ouvert**
- On peut désormais accentuer, sur le modèle de *semer*, les verbes conjugués sur le modèle de *céder* (accent grave sur les formes du futur et du conditionnel).

je cèderai (au lieu de *je céderai...*)
il cèderait (au lieu de *il céderait...*)

- On peut désormais conjuguer sur le modèle de *peler* et *acheter* tous les verbes en *-eler* et *-eter*.

épeler   *j'epèle* (au lieu de *j'epelle...*)
moucheter   *il mouchète* (au lieu de *il mouchette...*)

⚠ **Les verbes *jeter* et *appeler*, ainsi que leurs dérivés, conservent leur conjugaison habituelle (doublement du *t* et du *l* à certaines personnes et certains temps)**
→ **paragraphes** 331 **et** 332.

- Les mots en -*ement* dérivés des verbes en -*eter* et -*eler* prennent également un accent grave (*amoncèlement, dénivèlement, ensorcèlement, étincèlement*...), de même que les mots suivants :

abrègement	*crènelage*	*règlementairement*
affèterie	*crèneler*	*règlementation*
allègement	*crènelure*	*règlementer*
allègrement	*empiètement*	*sècheresse*
assèchement	*évènement*	*sècherie*
cèleri	*fèverole*	*sènevé*
complètement	*hébètement*	*vènerie*
crèmerie	*règlementaire*	

387 Uniformiser l'emploi des consonnes doubles dans une même famille de mots

ANCIENNE ORTHOGRAPHE	NOUVELLE ORTHOGRAPHE
bonhomie	*bonhommie* (**comme** *bonhomme*)
cahute	*cahutte* (**comme** *hutte*)
chariot	*charriot* (**comme** *charrette*)
combatif	*combattif*
combative	*combattive*
combativité	*combattivité* (**comme** *combattre*)
imbécillité	*imbécilité* (**comme** *imbécile*)
interpeller	*interpeler*
(j'interpelle,	*(j'interpèle,*
il interpellera)	*il interpèlera)*
persifler	*persiffler* (**comme** *siffler*)
sotie	*sottie* (**comme** *sottise*)

388 Les mots en -*iller* ou -*illier*

On admet l'orthographe -*iller* dans les mots suivants, où le *i* ne s'entend pas.

ANCIENNE ORTHOGRAPHE	NOUVELLE ORTHOGRAPHE
joaillier	*joailler*
marguillier	*marguiller*
ouillière	*ouillère*
quincaillier	*quincailler*
serpillière	*serpillère*

389 Les mots composés

- Tous les noms composés d'un verbe ou d'une préposition et d'un nom suivent la formation du pluriel dans les noms simples : le nom, quel que soit son sens, s'accorde au pluriel.

  un perce-neige → *des perce-neiges*
  un après-midi → *des après-midis*

⚠ Les noms composés d'un nom propre ou d'un nom précédé d'un article singulier restent invariables.

  des trompe-la-mort

- Les noms composés suivants séparés par un trait d'union ou une apostrophe peuvent s'écrire en un seul mot.

arcboutant	*coupecoupe*	*millefeuille*	*risquetout*
arrachepied	*couvrepied*	*millepatte*	*sagefemme*
autostop	*crochepied*	*millepertuis*	*saufconduit*
bassecontre	*croquemadame*	*passepartout*	*tapecul*
bassecontriste	*croquemitaine*	*passepasse*	*téléfilm*
bassecour	*croquemonsieur*	*piquenique*	*terreplein*
bassecourier	*croquemort*	*platebande*	*tirebouchon*
basselisse	*croquenote*	*porteclés*	*tirebouchonner*
bassetaille	*faitout*	*portecrayon*	*tirefond*
boutentrain	*fourretout*	*portemine*	*tournedos*
branlebas	*hautecontre*	*portemonnaie*	*vanupieds*
brisetout	*hautelisse*	*portevoix*	*vélopousse*
chaussetrappe	*hautparleur*	*potpourri*	*véloski*
chauvesouris	*jeanfoutre*	*poucepied*	*vélotaxi*
chèvrepied	*lieudit*	*poussepousse*	
cinéroman	*mangetout*	*prudhomme*	
clochepied	*mêletout*	*quotepart*	

390 Accord du participe passé *laissé*

Le participe passé *laissé* suivi d'un infinitif est invariable, sur le modèle de *fait*.

Elle les a laissé partir. Elle les a fait partir.
Je me suis laissé convaincre. Je me suis fait convaincre.

391 Noms empruntés à d'autres langues

- Les noms d'origine étrangère s'accordent au pluriel selon la règle générale (ajout de *s*, sauf s'ils sont terminés par s).

  des apparatchiks
  des confettis
  des graffitis
  des jazzmans
  des maximums

⚠ Les mots qui ont gardé leur valeur de citation : *des mea culpa.*

- Un certain nombre de mots composés d'origine étrangère perdent leur trait d'union.

  bluejean, globetrotteur, statuquo, vadémécum, weekend

- Les mots empruntés, enfin, s'accentuent selon les règles d'accentuation des mots français.

  délirium trémens, diésel, média, pédigrée, révolver

392 Trait d'union

Tous les nombres composés, qu'ils soient supérieurs ou inférieurs à *cent*, s'écrivent avec un ou des traits d'union.

trois-mille-quatre-cent-dix-huit
vingt-et-un

393 Le tréma

- Le tréma se place sur la lettre qui doit être prononcée.

ANCIENNE ORTHOGRAPHE	NOUVELLE ORTHOGRAPHE
aiguë	*aigüe*
ambiguë	*ambigüe*
ciguë	*cigüe*
exiguë	*exigüe*

- De plus, le tréma apparaît dans certains mots pour en préciser la prononciation.

gageüre (au lieu de *gageure*), *argüer* (au lieu de *arguer*)

Les numéros renvoient aux numéros de paragraphes.

Les numéros en vert renvoient à la partie *Orthographe d'usage*. Ex. : abbaye 110
Le paragraphe 110 donne la règle d'écriture de la graphie *bb*, ainsi que d'autres exemples.

---

110 *b* ou *bb* comme *b*aguette ou a*bb*é

La graphie du son [b] pose moins de problèmes : on écrit en général *b* ; *bb* est
en effet très rare. Cette graphie n'apparaît ni à l'initiale ni en finale et elle
concerne essentiellement quelques termes religieux.

bb

abbaye	*rabbin*	*sabbatique*
abbé	*sabbat*	

Les numéros en violet renvoient à la partie *Orthographe grammaticale*. Ex. : accélérer ... 330
Le paragraphe 330 donne des indications sur la conjugaison et l'orthographe.

---

330 Verbes en -*é* + *consonne* + *er* : je cède, nous cédons

Les verbes se terminant par -*é* + *consonne* + *er* (*céder, célébrer, régler…*),
qui se conjuguent sur le modèle de *céder*, changent le *é* en *è* :

- aux trois personnes du singulier et à la 3ᵉ personne *je cède*
  du pluriel du présent de l'indicatif ;
- aux trois personnes du singulier et à la 3ᵉ personne *que je cède*
  du pluriel du présent du subjonctif ;
- à la 2ᵉ personne du singulier du présent de l'impératif. *cède*

Les numéros en bleu renvoient à la partie *Vocabulaire*. Ex. : accord 357
Au paragraphe 357 figurent les homonymes d'*accord*.

---

accord	*l'accord du piano*	**accort**	*Accort est synonyme d'habile.*
	la signature de l'accord	**acore**	*la fleur d'un acore*
accore	*une côte accore*		

Abréviations utilisées :

adv = adverbe	inv = invariable	pl = pluriel
f = féminin	m = masculin	sg = singulier

a

électricité – enrouement